PARA LA
PAREJA

Una relación estable para toda la vida

Para la
Pareja
Una relación estable para toda la vida

Julián Melgosa
Doctor en Psicología
Rector del centro de estudios de posgrado AIIAS

Annette D. Melgosa
Licenciada en Biblioteconomía
Directora de Informática, AIIAS. Directora asociada de la Biblioteca Leslie Hardinge

Colección: **Nuevo Estilo de Vida**
Título: **Para la pareja**

Autores: Julián Melgosa y Annette D. Melgosa
Procedencia de las ilustraciones: Ver página 191
Diseño y desarrollo del proyecto: Equipo de Editorial Safeliz

Copyright by © **Editorial Safeliz, S. L.**
Pradillo, 6 · Pol. Ind. La Mina
E-28770 · Colmenar Viejo, Madrid (España)
Tel.: [+34] 91 845 98 77 · Fax: [+34] 91 845 98 65
admin@safeliz.com · www.safeliz.com

Promueve: **Asociación Educación y Salud**

Abril 2006: 3ª impresión de la 1ª edición

ISBN: 84-7208-144-3
Depósito legal: M-11578-2006

Impresión: Ibergraphi 2002 · E-28830 San Fernando de Henares, Madrid (España)
IMPRESO EN LA UNIÓN EUROPEA
PRINTED IN THE EUROPEAN UNION

«Si se quieren,
qué ricos los pobres,

si no se aman,
qué pobres los ricos.»

Anónimo

«Quien no ama los defectos
no puede decir que ama.»

Calderón de la Barca

Plan general

de la obra

Capítulo 5: Tras la marcha de los hijos

PÁG. 102

Capítulo 6: Crisis en la pareja

PÁG. 122

Capítulo 7: En la tercera edad

PÁG. 156

Prólogo

DONALD W. MURRAY: Máster en Educación. Preceptor en el Columbia Union College (antes, durante 27 años, en la Universidad Andrews).
SUSAN E. MURRAY: Profesora de Psicología en la Universidad Andrews. Terapeuta matrimonial y familiar.

Ambos son los creadores del Seminario Vínculo de Compromiso que vienen impartiendo desde 1978.

N EL SALÓN de nuestra casa tenemos una reproducción de un cuadro del artista estadounidense Nathan Greene. Se trata de su impactante obra maestra "La presentación", la cual refleja de forma vívida el momento cumbre en el que Dios presenta a Adán a su compañera Eva. Dos pares de ojos se miran intentando comprenderse. La mano izquierda de Adán toca su propio costado derecho. Algo ha cambiado...

¿Qué se siente con una costilla menos? Ahora hay dos corazones que bombean como émbolos. Sus cerebros están inundados de hormonas perfectamente combinadas por las manos del Creador.

Ambas almas dan un paso para conectarse.

Ambas mentes anhelan con deseo creciente ser una pareja en todos los sentidos.

Qué momento más sensual y espiritual para este hombre y esta mujer... Adán y Eva encuentran la plenitud el uno en el otro, y el Dios Creador declara su satisfacción por los resultados conseguidos.

Trasladándonos de un salto a nuestro siglo XXI, nos percatamos enseguida de lo mucho que nos hemos alejado del poético comienzo reflejado en ese cuadro. A nuestro alrededor proliferan los malos tratos, la falta de respeto, la desconfianza, las promesas incumplidas y la ruptura.

¿Quién de entre nosotros no se ha visto afectado en alguna medida por una convivencia que se deshace?

¿Qué aptitudes y conocimientos son necesarios para sostener una relación de pareja?

¿Qué podemos decir de las técnicas comunicativas? ¿Y de los métodos para resolver conflictos?

¿Qué importancia tiene el compromiso?

Un autor desconocido ironizó que el compromiso que se invierte en el matrimonio puede ser como un bocadillo de jamón y huevo. El pollo está implicado en cierta medida, pero el cerdo está totalmente comprometido. Pues bien, por nuestra parte creemos que la relación de pareja en un matrimonio merece un compromiso positivo y pleno entre dos personas imperfectas.

Para retornar a las bases de nuestro entendimiento de la pareja es preciso un enfoque realista acerca de su convivencia a lo largo de la vida. Cualquier reflexión sobre el tema de la pareja debería abarcar: el noviazgo, la preparación para la convivencia, las relaciones sexuales, la influencia de los niños en la pareja, y el envejecimiento compartido afrontando las incertidumbres de salud y los problemas de la jubilación. El viaje a través de las diferentes fases de la relación de pareja es un itinerario importante. Cualquier estudio al respecto merece cuidadosa atención y consideración respetuosa.

El libro que ahora tienes en tus manos plantea un enfoque de este tipo. Su propósito es guiarte a través de las diversas etapas que experimentan la mayoría de las parejas. Sus contenidos se basan en los hallazgos de investigaciones solventes, así como en la observación y la cualificada experiencia de los autores. Las tablas, gráficos, ilustraciones y el creativo diseño se combinan para ofrecer una amena pero desafiante descripción de lo que supone ser una pareja comprometida y con proyección de futuro.

Te presentamos este valioso libro con gran alegría y expectación, pero también con nuestro aprecio y admiración hacia sus páginas.

Sumario de este capítulo

La pareja ayer... y hoy

1

SILVIA Y PEDRO están casados y tienen mellizos en edad escolar. Acaba de comenzar el curso y la conversación en la cena fue muy sugerente. Los niños sacaron el tema:

–Hoy hemos contado cuántos niños no tienen padre o madre en nuestra clase y son 15 de los 25 que somos en total.

–¡No es posible! Todos los niños tienen padres.

–Pues en nuestro colegio hay muchos que no tienen padre, algunos que no tienen madre y uno que solo tiene abuela.

–A ver, contadnos quiénes son esos niños.

–Uno es Nacho, que vive con su madre y ve a su padre una vez al año, porque trabaja en el extranjero y les envía dinero.

–Lo de Eugenia es parecido, pero su padre no les da dinero.

–Luego está Hamid. Sus padres son extranjeros y su madre no ha llegado todavía. Vive con su padre y sus hermanas, pero lleva así muchos años.

–Y Estrella. Sus padres son divorciados y vive con su madre y su padrastro, que tiene dos hijas. Nosotros le tomamos el pelo diciendo: «¿Tus hermanastras son como las de la Cenicienta?» Su padre también se casó y vive lejos.

–El más gracioso es Max. Dice que los tíos son mejores que los padres, porque los padres son muy duros. Es que Max vive con padres, hermanos, tíos y primos. Deben de tener una casa muy grande porque si no, no cabrían todos...

A destacar en este capítulo sobre la pareja de ayer y de hoy

- En la actualidad, la **pareja** ofrece diversas **variantes** con la consiguiente complejidad. Por ello, más que nunca, surge la necesidad de estar preparados para los nuevos desafíos.

- La **convivencia** sin **vínculo legal** ya es muy común, aunque respecto a ella se observa cierto **desasosiego** y el deseo de regularizar la relación, especialmente en la mujer.

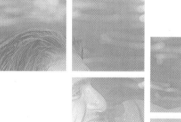
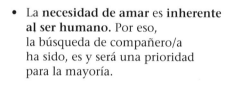

- La **necesidad de amar** es **inherente al ser humano.** Por eso, la búsqueda de compañero/a ha sido, es y será una prioridad para la mayoría.

- La pareja y la familia han existido desde los comienzos del género humano hasta hoy. La historia muestra variaciones pero los rasgos básicos tienen un **denominador común.**

- El **origen** de la pareja y la familia lo hallamos en las Sagradas Escrituras, donde Dios mismo establece esta institución.

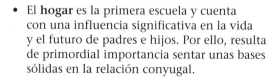

- El **hogar** es la primera escuela y cuenta con una influencia significativa en la vida y el futuro de padres e hijos. Por ello, resulta de primordial importancia sentar unas bases sólidas en la relación conyugal.

La familia hoy

Han pasado décadas desde que la familia se concebía de manera uniforme. El hogar tradicional donde convivían varón y mujer, legítimos esposos con hijos biológicos de ambos, es hoy solo una categoría entre otras muchas. Las funciones claramente delimitadas, donde él contaba con empleo remunerado, ella cuidaba de las tareas domésticas y de la crianza de los hijos, él portaba el bastón de mando y ella asumía el papel de ayudante y dependiente, son hoy cada vez más raras en el mundo industrializado.

Hoy se encuentran numerosas variantes respecto al modelo tradicional:

- **Familia monoparental.** En los últimos treinta años, el número de madres solteras (o divorciadas) ha venido incrementándose en casi todo el mundo. También está creciendo el número de padres solteros (o divorciados) en convivencia con sus hijos.

  Frente al matrimonio abusivo, por ejemplo, la opción monoparental supone una liberación para la madre (a veces el padre) y los hijos. Sin embargo, los hijos pierden la imagen paterna, tan crucial en su desarrollo psíquico y sexual, y la madre soltera carece del apoyo físico y emocional que supliría un buen cónyuge.

- **Familia de divorciados.** Con la popularidad del divorcio, también aumentan las uniones que provienen de matrimonios previos. Según los pactos o sentencias judiciales, los hijos siguen a un progenitor o al otro y forman parte de una nueva familia, con nuevos hermanos (hermanastros) con los que tienen que aprender a convivir.

La familia proveniente del divorcio, al igual que la monoparental, es liberadora en cuanto suele provenir de un matrimonio desgraciado, pero cuenta con numerosos retos: adaptarse a convivir con un nuevo conjunto de personas, tarea a llevar a cabo no solo por padres, sino también por hijos que pueden o no tener la madurez suficiente para afrontar semejante tarea.

- **Familia ampliada.** Con la inmigración y la afluencia de diversas etnias, se observa cada vez más un núcleo familiar donde conviven padres, hijos, abuelos, hermanos, primos, y otros parientes o miembros de la misma región o país.

  La familia ampliada ofrece un sistema social de apoyo muy amplio. Sus miembros tienen gran probabilidad de encontrar ayuda dentro del grupo, en un contexto seguro. No obstante, la pareja carece de intimidad y su desarrollo interpersonal puede ser interferido por los sesgos familiares (por ejemplo, serios conflictos suegranuera o hermano-yerno). El sistema tiende a ser favorable para los hijos pero adverso para la pareja central.

- **Familia homosexual.** Aunque en proporción pequeña, también aumentan las parejas de homosexuales y de lesbianas que ya pueden formar matrimonio en ciertos países. Muchos de sus integrantes, especialmente las mujeres, desean criar hijos y los procuran buscando padre fuera de la relación. Esta modalidad aparentemente satisface las necesidades personales de la pareja pero, según la mayoría de los expertos, no de los hijos que puedan vivir en ese hogar.

En definitiva, los múltiples desafíos de las variantes familiares hoy hacen de la formación de la familia una tarea más compleja y con más probabilidad de fracaso. En nuestra observación personal, hemos notado que conceptos como el **sacrificio personal** o el **altruismo** van decayendo. Y no nos referimos al sacrificio personal de resignarse a recibir abuso físico o psicológico del cónyuge; sino a un deseo de servicio por los otros componentes de la familia, a un pacto en el que el **amor** domine, aunque la experiencia familiar no sea placentera todo el tiempo.

Quizá sea esta la razón por la que tantos buscan alternativas, cambian de pareja, y vuelven a intentar nuevas relaciones, en muchos casos, sin éxito.

¿Casarse o "vivir juntos"?

El matrimonio es aún hoy una opción popular, escogida por más del 80% de quienes tienen capacidad legal para ejercerlo. Desafortunadamente, el matrimonio fracasa con frecuencia y sobreviene así la legítima pregunta: "¿Para qué sirve el matrimonio?" "Si los objetivos de la pareja pueden alcanzarse sin compromisos legales, sociales o religiosos, ¿para qué perpetuar esta institución ancestral?" "¿Para qué esforzarse en saltar barreras, cuando es más sencillo evitarlas desde el principio?"

Existen argumentos para defender el **matrimonio legal y comprometido**. He aquí algunos **puntos fuertes** que deben considerarse:

- La relación matrimonial, al suponer por lo general un mayor compromiso, sitúa las expectativas a un nivel más realista que la simple convivencia y *favorece el esfuerzo por una estabilidad mayor*.

- Afrontar una crisis sabiendo que el matrimonio es un compromiso duradero ofrece un *mayor ímpetu a la pareja para encarar las dificultades*.

- La *ruptura* en un matrimonio comprometido se contempla *solo en circunstancias muy excepcionales*, mientras que las parejas no casadas con frecuencia observan la ruptura como vía de escape a las dificultades habituales.

- El *entorno social* (familiares, amigos, compañeros de trabajo...) tiende a conceder a un matrimonio *altas expectativas de estabilidad*, lo cual no suele ocurrir con las parejas asociadas informalmente.

- *El matrimonio está libre del estigma social* que sufren las parejas en cohabitación. Este factor ha disminuido considerablemente en las sociedades liberales, pero dicho estigma es muy intenso en el resto del mundo.

- Muchas parejas no casadas optan por hacerlo después de haber convivido durante años e incluso haber tenido hijos. Esto indica que ellas mismas consideran el matrimonio como un paso adelante, un estadio en el que *se gana un nivel de mayor compromiso y estabilidad*.

En las parejas no casadas...

- ... existe un mayor índice de violencia doméstica contra la mujer y los hijos, cuando los hay;
- ... la mujer cuenta con expectativas diferentes al hombre. Con frecuencia, ella cree que la cohabitación acabará en matrimonio mientras que él no tiene esas miras (véase *"El Consejo del Psicólogo"* de la página 17);
- ... se aprecian mayores índices de depresión y menores de satisfacción general en la mujer y en los hijos, cuando los hay;
- ... los hijos cuentan con mayor riesgo de estar menos protegidos legalmente en el caso de escisión.

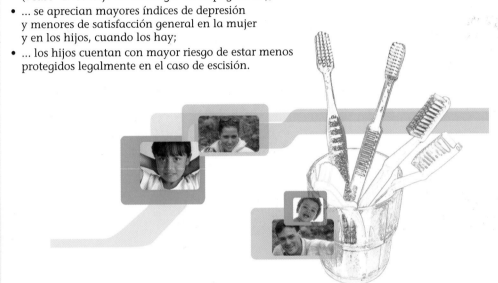

Fuente: Popenoe, D. y Whitehead, B. D. 'Should we live together? What young adults need to know about cohabitation before marriage'. New Brunswick (New Jersey): National Marriage Project, Rutgers University, 1999.

- Si hay hijos, en caso de ruptura matrimonial, *la ley provee medios de sustentación* para ellos y para el cónyuge con la patria potestad. Esto también se aplica a las parejas de hecho, pero no a quienes conviven sin ningún registro legal.

La llamada cohabitación es, frente al matrimonio formal, una opción popular en nuestros días. Se arguye que es posible vivir juntos y obtener los beneficios conyugales y familiares de los casados, contando al mismo tiempo con la suficiente libertad. Sin embargo, es simplista evaluar la cohabitación en estos términos. David Popenoe y Barbara Whitehead analizaron un gran número de estudios sobre este tema ofreciendo los datos que, en parte, se ofrecen en el cuadro que se encuentra en la parte superior de esta misma página.

Además, vivir juntos sin estar casados o ni siquiera como pareja de hecho, conlleva importantes **inconvenientes legales**, especialmente si hay separación o muerte. En estos casos, no importan las promesas verbales o acuerdos que existan. Ante la ley, la pareja no cuenta con vínculos legales y por tanto no tiene derecho a la protección legal correspondiente.

Por ello, antes de iniciar una relación de este tipo, han de considerarse los bienes adquiridos en conjunto, el testamento, la patria potestad sobre los hijos menores, la protección del miembro de la pareja más dañado en caso de escisión, etcétera.

Los dividendos de los casados

El matrimonio equilibrado es beneficioso para sus integrantes. Varios estudios comparativos, especialmente los llevados a cabo por Linda Waite*, demuestran que, aunque mantener un buen matrimonio requiere esfuerzo y sacrificio, existen marcados **beneficios:**

Los casados...

- **... practican un estilo de vida más sano.** La vida en matrimonio estable es un factor de calidad en el estilo de vida: mejores hábitos alimentarios y ejercicio físico, menos conductas arriesgadas y menos consumo de alcohol y drogas que los solteros, divorciados o viudos.

- **... viven más años.** Los casados llegan a edades más avanzadas que los solteros, viudos o divorciados. Esta diferencia es de varios años y se atribuye al mejor apoyo emocional del que gozan las parejas estables.

- **... se sienten más satisfechos en la vida sexual.** El 54% de los casados encuestados declaran tener una actividad sexual altamente satisfactoria, mientras que los que cohabitan arrojan un 44%. El nivel de satisfacción sexual de solteros y divorciados es aún menor.

- **... cuentan con mayores recursos materiales.** La vida de casados tiende a ser económicamente más eficaz y ofrece una mayor posibilidad de acumulación de bienes.

- **... facilitan un mejor desarrollo de los hijos.** Por término medio, los niños que se crían en familias con la presencia de ambos progenitores obtienen mejores notas escolares, gozan de una mayor estabilidad emocional y reciben mejor cuidado y atención que los que crecen en hogares divididos o con progenitores solteros. Además, los mejores recursos materiales del matrimonio proporcionan más oportunidades para la educación de los hijos.

---

* *Waite, L. y Gallagher, M. 'The case for marriage'. Cambridge, Massachussetts: Harvard University Press, 1999; Waite, L. "Does marriage matter?". Demography, 32:1995 (4), 483-507.*

EL CONSEJO DEL PSICÓLOGO

"Y ahora quiere que nos casemos..."

Clara y yo nos vimos por primera vez hace dos años y pronto empezamos a salir y a conocernos mejor. Hace un año que vivimos juntos pero ahora Clara no está contenta y quiere que nos casemos. Mi pregunta es: si todo marcha bien y no tenemos problemas, ¿para qué casarnos?

Si todo marcha bien y no tenéis problemas, ¿por qué Clara está insatisfecha con la situación actual? Vuestra circunstancia es muy común en las parejas que conviven sin vínculo legal. Con frecuencia el varón está satisfecho porque el arreglo parece práctico. Sin embargo, la mayoría de las mujeres ve la situación como transitoria, inestable e insegura.

En comparaciones hechas entre mujeres que viven en relación de convivencia, y mujeres en matrimonio convencional, se ha puesto de manifiesto que las primeras sufren más depresión y cuentan con niveles inferiores de satisfacción en la relación. Este resultado es cierto tanto en parejas sin hijos como en parejas con hijos.*

Si amas a Clara, debes considerar seriamente su sugerencia. Al hacerlo estás procurando su bienestar emocional. Como muchas otras mujeres, ella no se siente segura y firme en una relación que percibe como incierta. Y este sentimiento de insatisfacción crecerá a medida que pase el tiempo, a no ser que vuestra relación se formalice.

---

* Brown, Susan L. "The Effect of Union Type on Psychological Well-Being: Depression Among Cohabitors Versus Marrieds." 'Journal of Health and Social Behavior' 41:241-155, 2000.

La necesidad humana de amar

Las muchas modalidades actuales de la pareja y la familia tal vez se deban a la tendencia a escapar de los moldes establecidos, a salir de la tradición ciega. Sin embargo, no oímos que la tendencia generalizada sea la de llevar vida de anacoretas, la de aislarnos unos de otros y no desear relación íntima alguna. No. Muy pocos pueden ser felices en soledad. Las actividades más placenteras pierden aliciente cuando no se comparten. La pareja compuesta por un hombre y una mujer, comprometidos mutuamente, supone un contexto ideal para alcanzar un **estado razonable de felicidad**, dentro de la imperfección en la que vivimos.

Por ello, la inmensa mayoría de las personas, aun en nuestra época de valores cambiantes, procura la compañía del sexo opuesto y la legitimación de esta relación. Es fenómeno universal la necesidad de la unión con alguien que proporcione amistad, amor, apoyo y equilibrio emocional.

El matrimonio es un paso trascendental y requiere razones para llevarse a cabo. Cuando existen muy pocas razones de peso, la unión corre el riesgo de ruptura. He aquí algunas **razones válidas para el matrimonio** que deben estar presentes en ambas partes para contar con una buena probabilidad de éxito matrimonial:

1. **Amor.** Todos tenemos la necesidad de amar y de ser amados. Un matrimonio sano facilita el contexto ideal para llevar a cabo ese amor. Ahora bien, ¿cuál es el significado del amor? El griego clásico se refiere al concepto 'amor' de varias maneras (véase el cuadro de la página siguiente). Una de ellas se refiere al *ágape,* el amor sublime basado en el altruismo. Este es el amor fundamental, principio y fundamento de cualquier otro tipo de amor.

2. **Compañerismo.** Las personas se unen para tener junto a ellos un compañero, un amigo con quien compartir los momentos agradables y dolorosos de la vida; alguien en quien confiar los detalles íntimos de los recovecos del alma. Esta compañía evita la soledad, y además la tristeza y la inestabilidad emocional, que tienden a aumentar cuando uno vive solo.

3. **Necesidad de realización personal.** El matrimonio tiene la capacidad de formar un ambiente en el que la pareja se realiza y crece. En él se alberga una autoestima adecuada, unos hábitos equilibrados y un bienestar psicológico más completo.

4. **Compartir la sexualidad.** Las necesidades sexuales de hombres y mujeres se llevan a cabo con mayor satisfacción y seguridad en el matrimonio. Aunque la sexualidad no lo es todo, es una parte muy importante de la vida conyugal y ayuda a mantener el amor y la unidad entre ambos cónyuges.

5. **Compartir la paternidad.** Aunque la presencia de los hijos conlleva responsabilidades, esfuerzos, preocupaciones y frustraciones, tener hijos es uno de los grandes privilegios conferidos al ser humano. Hombres y mujeres manifiestan un sentir de satisfacción general por ser padres. El crecimiento en familia proporciona fuertes y prolongados lazos emotivos entre padres e hijos que se traducen en una equilibrada salud mental.

¿QUÉ ES EL AMOR?

El griego clásico contiene tres voces para referirse a lo que los idiomas modernos agrupan bajo el término 'amor'.

- **Eros.** La forma más primaria del amor. Se trata del impulso que busca la satisfacción sensual. Es el amor pasional.
- **Fileo.** Se refiere al amor que procura una relación de satisfacción emocional. Puede usarse para referirse al amor que facilita el compañerismo y la amistad, y también al amor ideal hacia la naturaleza, el saber o la música.
- **Ágape.** Es la máxima representación del amor. Ocurre por principio y no por impulso. Se proyecta en el otro, aun cuando el otro corresponda en una medida menor. Es el amor infalible en la relación matrimonial y el que facilita los otros tipos de amor. El apóstol Pablo explicó este amor supremo a los creyentes de Corinto hace 2.000 años en una carta que hoy forma parte de las Sagradas Escrituras y cuya esencia bosquejamos a continuación:

El amor es...

- Tener paciencia
- Ser bondadoso
- Alegrarse de la verdad
- Sufrir
- Confiar
- Soportar
- Aún más importante que la fe
- Aún más importante que la esperanza
- Duradero

El amor no es...

- Tener envidia
- Ser presumido
- Ser orgulloso
- Ser grosero
- Ser egoísta
- Enojarse
- Guardar rencor
- Alegrarse de las injusticias

(Lee el texto completo en la Biblia: 1 Corintios 13: 1-10)

El origen de la familia

La unión tanto física como emocional y social de un hombre y una mujer es antiquísima y precede a los registros históricos. Parece una tendencia y una necesidad inherente al ser humano. Tanto hombres como mujeres desean completar su existencia formando una pareja. La historia demuestra que el matrimonio ha existido en prácticamente todos los pueblos y culturas (véase el cuadro *"La pareja en la historia"* en la página 22).

Desde el punto de vista de la autoridad en la pareja, existen dos manifestaciones básicas:

- El **matriarcado**. Cuando es la mujer quien posee y ejerce la autoridad en la pareja y en la familia.

- El **patriarcado**. Si es el hombre el poseedor y ejecutor de la autoridad en la pareja y la familia.

El matriarcado en la pareja está menos extendido que el patriarcado pero es más común de lo que parece. Culturas que declaran públicamente el modelo autoritario del varón, poseen una vida familiar fundamentalmente matriarcal. Se vive cara al exterior con la imagen del esposo autoritario y dominante mientras que, de puertas adentro, es la esposa quien ejerce el control.

El modelo patriarcal agrupa a muchos sectores de la población mundial, a veces por influencia religiosa, otras por tradición social. El hombre controla las decisiones de importancia en la vida diaria y su autoridad está por encima de la mujer y de los hijos. Este sistema ha ocasionado muchos trastornos por el abuso del poder marital, que puede dar lugar a la violencia familiar, física y psicológica.

Curiosamente, en los escritos del Antiguo Testamento, ya empieza a hacerse referencia al equilibrio de capacidad decisoria en la pareja y al lugar que debe hacerse al poder divino. Así lo ilustra el sabio Salomón:

*«Más valen dos que uno, pues mayor provecho obtienen de su trabajo. Y si uno de ellos cae, el otro lo levanta, ¡Pero ay del que cae estando solo, pues no habrá quien lo levante! Además, si dos se acuestan juntos, uno a otro se calientan; pero uno solo, ¿cómo va a entrar en calor? Uno solo puede ser vencido, pero dos podrán resistir. Y además, **la cuerda de tres hilos no se rompe fácilmente**»* (Eclesiastés 4: 9-12, el énfasis es nuestro).

¿Por qué habla el autor de dos y al final menciona la cuerda de tres hilos? Ese tercer hilo de la cuerda se refiere al poder divino y sobrenatural que suple lo que es humanamente imposible. Es, pues, conveniente invitar al Creador a ser parte integrante de la vida en pareja. Esto favorece el respeto y el amor mutuos, y proporciona el altruismo necesario para que la pareja crezca a diario y las recompensas de la vida de casados sean cada vez más notables.

Pero si queremos remontarnos al registro más antiguo sobre el matrimonio y la familia, tenemos que acudir al primer libro de las Sagradas Escrituras, y concretamente al principio del libro del Génesis donde aparece la primera pareja y su origen:

«Luego Dios el Señor dijo: "No es bueno que el hombre esté solo. Le voy a hacer alguien que sea una ayuda adecuada para él" [...]. Entonces Dios el Señor hizo caer al hombre en un sueño profundo y, mientras dormía, le sacó una de las costillas y le cerró otra vez la carne. De esa costilla, Dios el Señor hizo una mujer, y se la presentó al hombre, el cual, al verla, dijo: "¡Esta sí que es de mi propia carne y de mis propios huesos! Se va a llamar 'mujer', porque Dios la sacó del hombre." Por eso el hombre deja a su padre y a su madre para unirse a su esposa, y los dos llegan a ser como una sola persona» (Génesis 2: 18, 21-24).

La iniciativa de formar una pareja y no un ser unisexual o asexual es de Dios y no del hombre. El matrimonio es por tanto una opción de origen divino fundada para:

- ser permanente,
- satisfacer la necesidad humana de amar y de ser amados,
- facilitar el compañerismo y la amistad,
- satisfacer las necesidades sexuales mutuas,
- llevar a cabo la procreación,
- establecer un ambiente adecuado que satisfaga el desarrollo de los hijos.

La pareja en la historia

La familia hebrea. La boda era entre parientes o miembros del mismo clan, con prohibiciones específicas de matrimonio o relación sexual con madre, madrastra, tía, esposa de tío, suegra, hermana, hermanastra, cuñada, hija, hijastra y nuera (Levítico 18). El sistema fue **patriarcal** abarcando el padre la jefatura y la dirección espiritual de la familia. Por influencia de los pueblos vecinos, se adoptó la costumbre poligámica, que era contraria a la ordenanza divina. La **poligamia** ocasionó múltiples y complejos problemas familiares y finalmente quedó restringida a la realeza. Las funciones de la familia eran de una importancia primordial: el amor marital y la educación de los hijos constituyen rasgos centrales en el matrimonio hebreo.

Egipto. El pueblo egipcio utilizó arreglos matrimoniales sin dejar que los contrayentes escogieran su compañero/a. La mayoría de los casamientos ocurrían a **edades tempranas** entre jóvenes ligados por vínculos de sangre para mantener la riqueza familiar en manos de unos pocos. El pueblo egipcio es quien primero otorga una formalidad legal al matrimonio, redactando **contratos** entre el novio y el suegro para asegurar el destino de la hacienda y la herencia de los hijos que pudiera haber. La infidelidad era condenada severamente en Egipto, y la tendencia general era **monógama**.

Antigua Grecia. En la Grecia clásica la mujer era dada en matrimonio por su padre junto con una **dote** sustancial. El novio presentaba valiosos regalos, estableciendo así un fuerte vínculo entre las familias. La mujer casada permanecía en casa ocupándose de la crianza de los hijos, el cuidado de su marido y realizando trabajos textiles en el hogar a fin de ampliar los ingresos.

Roma. La familia contaba con gran fuerza en el Imperio Romano. Aglutinaba niños, esclavos, sirvientes, tierra, casa, animales domésticos, etcétera. Todo pertenecía al *pater familias* que contaba con abundante riqueza y poder. El *matrimonium* era exclusivo de quienes gozaban de ese derecho. Los esclavos carecían de capacidad legal para casarse. El compromiso se formalizaba en una fiesta esponsalicia en donde se acordaba el monto de la dote. El novio ofrecía un anillo de hierro (*anulus pronubis*) a la novia y una cantidad de dinero (*arra*) como garantía hasta el día de la boda. Ya casada, **la mujer romana** (*domina*) contaba con un estatus de **alta responsabilidad** y respetabilidad. En ausencia del esposo, ella poseía la máxima autoridad y aun con él presente, estaba al cargo de la beneficencia, los alimentos, la ropa y la supervisión de empleados y esclavos.

La Europa medieval. La mujer no tenía opción en cuanto a quién sería su esposo. Con frecuencia llegaba a conocerlo en el momento de la boda. Las familias hacían los arreglos pertinentes y **poco contaba el amor** en estos casamientos. Cuando el varón recibía la dote (casi siempre de gran cuantía), ambos quedaban ligados de por vida. Los **votos matrimoniales** que se usan hoy se remontan al Medievo.

La era cristiana. En la época de Jesús de Nazaret la familia nuclear constituye la unidad básica de convivencia y el centro de afecto y apoyo emocional. Muestran este énfasis los siguientes relatos: Jairo, angustiado por la muerte de su hija; el sermón de Jesús arguyendo que los padres, aun siendo malos, saben ofrecer buenas dádivas a sus hijos; o el supremo ejemplo de amor paterno dibujado en la parábola del hijo pródigo. El apóstol Pablo aplica los principios de la nueva secta cristiana a la pareja. Sus consejos están anclados en la presencia divina en el hogar y sus comparaciones hacen referencia a las realidades religiosas: la mujer debe respetar al marido como al Señor, el esposo debe amar a su esposa como Cristo a su iglesia; los hijos han de obedecer a los padres como al Señor.

La Reforma Protestante. Favorece un papel orientador y no impositivo de los padres para la elección del cónyuge de los hijos. Se clarificó aquí la **santidad de la sexualidad**. Dios creó al hombre y a la mujer sexuados para que se multiplicasen y también para que disfrutaran de la intimidad y el placer que proporciona. Al mismo tiempo se eliminó el celibato obligatorio para el ministro de Dios.

La patrística. Los llamados "padres de la iglesia" inician una serie de tradiciones distantes del cristianismo original. Agustín de Hipona enfatiza la inferioridad de la mujer. Se introduce la idea del sexo conyugal como algo inapropiado (a no ser con el fin exclusivo de la procreación). Se exalta la idea del *celibato* como forma suprema de vivencia cristiana y se comienza a ordenar a los sacerdotes.

El hogar, la primera escuela

El hogar es la primera escuela del ser humano. Una escuela de vida y para la vida. En él aprendemos los aspectos esenciales de la existencia y adquirimos el fundamento para el aprendizaje posterior (véase el cuadro *"Qué se aprende en familia"* de la página 25).

También los padres adquieren conocimientos útiles en la relación familiar: dominio propio, paciencia, tolerancia, espíritu de sacrificio...

En cierta medida, todos somos el resultado de nuestro hogar.

Por esta razón este libro pretende diseminar principios y consejos para la formación de una pareja fuerte, que prepare un entorno seguro para sus miembros y sirva de influencia benéfica para otros núcleos familiares.

Qué se aprende en familia

Todos como hijos, y muchos como padres y cónyuges asistimos a la primera escuela, que es la familia. Allí, entre otras cosas,

aprendemos...

- ... **del entorno que nos rodea**, observamos los objetos y las personas de nuestro entorno y adquirimos familiaridad en un medio seguro.
- ... a entender y a expresarnos en la **lengua materna**.
- ... a establecer **lazos emotivos y afectivos** con otros miembros de la familia.
- ... a ensayar las **relaciones sociales**.
- ... los **hábitos** de nuestra higiene y cuidado personal.

- ... el **juego** y el entretenimiento, que son fuentes de salud mental.
- ... el concepto de uno mismo, que será la base para el ajuste personal y social y el desarrollo de una **autoestima** sana.
- ... la **moralidad**, es decir, a distinguir lo bueno de lo malo.
- ... la **independencia** y el **dominio propio**, factores de gran peso en el éxito o el fracaso de la vida.
- ... los **fundamentos de la fe** y la religión, dimensión a veces olvidada, pero muy importante para una vida más feliz y plena de significado y de esperanza.

Sumario de este capítulo

El noviazgo

2

ESTELA Y MARIANO hacen planes de boda para dentro de ocho meses. Durante dos años han estado de novios. El pronóstico para esta pareja es muy bueno: poseen valores e ideales similares, buen nivel de comunicación mutua, destrezas para resolver los conflictos, conciencia del temperamento propio y del ajeno, y un pacto relativo a sus tareas en la vida de pareja. Ambos contemplan el matrimonio como algo para toda la vida y no como un simple contrato civil a rescindir cuando haya dificultades.

Beatriz y Alberto constituyen un caso sustancialmente diferente. Desde el principio, sintieron una fuerte atracción y la presencia del otro se hacía cada vez más placentera: paseos, bailes, excursiones, etcétera. Se lo han pasado muy bien. Sin embargo, apenas han hablado de la vida en pareja, de las dificultades de la adaptación a la vida de casados, no han debatido sus nuevos papeles en la vida en común y ni siquiera han dialogado sobre la idea de tener hijos o no tenerlos.

En el segundo caso, el noviazgo no fue usado como lo que es: una preparación para el matrimonio.

Características de la pareja durante el noviazgo

- Proceso de selección mediante el cual se van descartando unas opciones y manteniendo en mente otras, de acuerdo con las **cualidades y circunstancias** observables.

- Entre hombre y mujer, existen diferencias importantes de índole psicológica y biológica. Para mantener una relación equilibrada es útil **conocer** dichas **diferencias**.

- La preparación para el matrimonio no ocurre por casualidad y requiere un **esfuerzo consciente y planificado** por parte de los novios.

- El **temperamento** ejerce una enorme influencia en la relación entre hombre y mujer. Conocer el temperamento propio y el del ser amado constituye un factor de éxito en la pareja.

- La tarea de conocerse y prepararse es trascendental en la etapa del noviazgo por tener una incidencia **directa** en el éxito matrimonial.

Qué observar en él/ella

El carácter y la personalidad

Es útil observar los rasgos y características del futuro cónyuge. La bondad, el buen humor, la estabilidad emocional, la fortaleza frente a las dificultades, constituyen ejemplos de cualidades deseables. Mientras que la irritabilidad, la falta de control, o el pesimismo son rasgos a evitar.

La edad

Si bien es cierto que, en términos generales, la edad no es un obstáculo para el amor, las edades de los futuros cónyuges no deberían ser muy distantes. El matrimonio consiste en vivir vidas parejas y esto se hace más difícil cuanto mayores sean las diferencias.

El nivel educativo

El nivel de estudios es otro aspecto que se contempla al escoger compañero/a. Cualquier relación en pareja conlleva un componente importante de conversaciones, objetivos y actividades, que se hacen difíciles cuando hay grandes diferencias culturales entre ambos integrantes.

La religión

Quienes creen y viven una religión necesitan buscar a alguien que comparta sus convicciones y prácticas. Este aspecto tiene una importancia vital en el éxito conyugal, ya que la creencia religiosa lleva consigo toda una filosofía que determina el estilo de vida.

La clase social

Aunque siempre podemos encontrar casos de parejas felices formadas por integrantes de clases sociales distintas, hay que reconocer que las grandes diferencias sociales tienden a crear sobresaltos en la relación de pareja.

Por ello conviene poner las miras en la persona de clase cercana. En realidad, esto suele acontecer con naturalidad ya que los ambientes de trabajo y ocio en los que se encuentra novio/a suelen estar preseleccionados.

La elección de compañero/a

En el pasado, la elección de compañero o compañera correspondía a los padres o familiares de los afectados (véase cap. 1). Hoy, aunque existen culturas en las que esta práctica continúa, predomina la libre elección de amistades que acaba en noviazgo y en matrimonio.

¿Qué se mira al elegir?

Todo el mundo desea casarse con la persona idónea y por ello se buscan ciertas características del compañero deseado. El cuadro de la página anterior, presenta una serie de atributos que constituyen el punto de mira de quienes han de llevar a cabo la elección.

La elección de pareja ocurre de diversas formas. Mientras unos expertos enfatizan un proceso, otros se centran en otro. Pero hay un amplio consenso en que la elección de cónyuge viene motivada:

- Por similitud, tener cosas en común.
- Por eliminación, o proceso de descarte.
- Por atracción inicial.
- Por la combinación de factores.

Similitud

David Olson, de la Universidad de Minnesota, y John Defrain, de la Universidad de Nebraska, después de analizar una amplia muestra de publicaciones, establecieron que las personas tienden a escoger a su pareja por *similitud en edad, clase social, estudios, raza y religión* (ver Olson, D. H. y Defrain, J., 2000).

Con esto no queremos afirmar que el éxito esté en la **homogeneidad total**. De hecho, la similitud extrema *añade un matiz de tedio*. Además, las diferencias pueden constituir una ventaja: por ejemplo, en una pareja en la que uno es ahorrador y el otro descontrolado en el gasto, ambos pueden influirse mutuamente para no acabar en los extremos de la tacañería o el derroche. A pesar de todo, hemos de reconocer que llegar a dicho equilibrio puede ser escabroso especialmente si las diferencias son numerosas.

Eliminación

De acuerdo a esta perspectiva, los que buscan compañero o compañera siguen un pro-

Atractiva, sí; pero... ¿conveniente?

No siempre la persona más atractiva es la más conveniente para casarse. La historia está llena de clamorosos ejemplos al respecto.

Uno de los más conocidos jueces del antiguo Israel, Sansón, pasó por una experiencia terrible. Cierto día vio a una guapísima mujer filistea –los filisteos eran enemigos de los israelitas– de la que se quedó prendado nada más verla. Rápidamente volvió a su casa y, siguiendo la costumbre de la época, les dijo a sus padres que fueran para tomarla por esposa. Los padres trataron de disuadirlo. Era una perfecta desconocida y los problemas políticos y personales que iban a tener fueron puestos de relieve por ellos. No obstante él no dio su brazo a torcer y persistía con un único argumento: «Ella ha agradado a mis ojos»; «me gusta».

Por su insistencia se casaron, pero esta boda fue el motivo de muchos problemas políticos para él y su pueblo y, finalmente, la causa de la muerte prematura de Sansón.

(La historia completa se encuentra en la Biblia, libro de Jueces, capítulos 13 al 16)

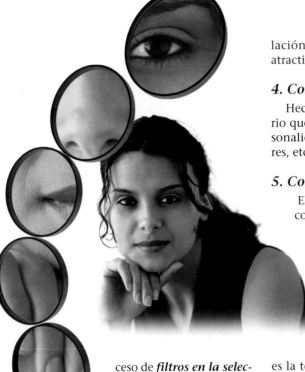

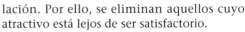

ceso de *filtros en la selección*. Kerckhoff y Davis (Kerckhoff, A. C. y Davis, K. E, 27: 295-303, 1962) fueron los primeros en proponer este mecanismo de la eliminación. Sugieren cinco niveles de filtros por medio de los cuales se eliminan opciones hasta reducirse el grupo de posibles parejas.

1. Proximidad

Aunque hoy en día con Internet se ha matizado un poco, normalmente uno suele escoger de entre las personas próximas. Quienes viven en una ciudad grande con amplios círculos de contacto y con la posibilidad de viajar, cuentan con más opciones que los vecinos de una localidad pequeña que no poseen los medios para conocer a muchas personas.

2. Grupo social

De entre los disponibles hay personas que inmediatamente se descartan por pertenecer a un sector social muy distante. Se trata de aquellos que cuentan con una edad muy dispar o pertenecen a una clase social inaccesible.

3. Atracción física

Incluso entre los más cercanos que pertenecen a un grupo aceptable, tiene que haber una atracción mutua para que se inicie la relación. Por ello, se eliminan aquellos cuyo atractivo está lejos de ser satisfactorio.

4. Compatibilidad

Hechos los filtrados anteriores, es necesario que haya cierta compatibilidad en la personalidad, los intereses, los planes, los valores, etcétera de los dos encartados.

5. Compensación

El último filtro se hace sobre la base de la compensación. Respecto a cada candidato se evalúa lo que uno da y recibe de la eventual relación. Si el intercambio se estima razonable, se sigue adelante; de lo contrario, la relación no interesa y se corta.

Atracción inicial

Otra manera de explicar cómo las personas escogen compañero/a es la teoría de Murstein (Murstein, B. I., 42: 777-792, 1987). Esta teoría cuenta con tres pasos básicos:

- Un hombre y una mujer se sienten mutuamente atraídos ya sea por la apariencia física o por una impresión inicial imprecisa que se denomina *estímulo*. Es lo que muchos conocen por **flechazo**. Sin este componente, normalmente la relación no llega a cuajar.

- Una vez que el estímulo o atracción inicial ha surtido su efecto, la pareja evalúa los **valores mutuos** y cómo se complementan. Comparan las diferencias y las similitudes en su manera de pensar (política, religión, ecología...), de actuar (estilo de vida, trabajo, ocio...) y de planear el futuro (vivienda, hijos, padres, suegros...).

- Finalmente, se analizan los diversos papeles o **funciones** que uno y otro llevarán a cabo en su vida en conjunto. Los encartados se preguntan:

  ✓ ¿Quién será el principal proveedor de las necesidades materiales?

  ✓ ¿Quién tendrá mayor autoridad y en qué áreas?

  ✓ Si tenemos hijos, ¿quién se ocupará de su crianza?

  ✓ Si ambos trabajamos, ¿cómo se distribuirán las tareas domésticas?

PREPÁRATE PARA EL MATRIMONIO

ÁREA	PREGUNTAS/ ACTIVIDADES PARA INICIAR EL DIÁLOGO
1. Expectativas	• Haz una lista de ocho cosas concretas que esperas de tu novio/a. • Describe lo que crees que será un día normal, de la mañana a la noche, después de la luna de miel.
2. Comunicación	• ¿Qué sientes cuando le hablas y no te presta atención? • Cuando estás enojado/a, ¿cómo te comunicas con él/ella? • ¿Tienes miedo de revelarle pensamientos íntimos?

3. Conflictos	• Haz una lista de cuatro puntos en los que estáis en desacuerdo.
	• ¿Cómo afrontas los conflictos?
	• ¿Cómo los afronta tu novio/a?
	• ¿Qué estilo te va mejor cuando sobreviene un conflicto?
	  ✓ Ganar
	  ✓ Ceder
	  ✓ Abandonar
	  ✓ Resolver
	(Encontrarás más información sobre conflictos y cómo resolverlos en el capítulo 6 *"Crisis en la pareja"* y en el cuadro de la página 34 *"Signos de violencia"*.)

4. Personalidad	• Usa 8-10 adjetivos para describir tu personalidad. • Usa 8-10 adjetivos para describir la personalidad de tu novio/a. • ¿Qué rasgos crees que deberías suavizar por amor a tu pareja?
5. Funciones	• ¿Quién es para ti la cabeza del hogar? ¿Qué significa ser cabeza? • En tu familia, ¿cuál desearías que fuera el papel del hombre y cuál el de la mujer? • En vuestro caso, ¿quién de los dos será el máximo responsable de "ganar el pan"? ¿Qué parte hará el otro? • ¿Quién de los dos será el máximo responsable en las tareas domésticas? ¿Qué parte tendrá el otro en dichas tareas?
6. Finanzas	• ¿Quién llevará los asuntos económicos en vuestro matrimonio? • A la hora de hacer un gasto importante, ¿consultarás con tu pareja? • ¿Te criaste en la abundancia o en la escasez? ¿Cómo afectará esto a la forma de gastar en el matrimonio? • Elabora una lista hipotética de gastos mensuales para cuando estés casado/a. Anota primero los gastos de mayor necesidad.
7. Sexualidad	• En una escala de 0 a 10, qué nota asignarías a la importancia del sexo en la pareja. • ¿Con qué frecuencia querrías hacer el amor? • ¿Estás dispuesto/a a hablarle sobre tus expectativas en cuanto a la sexualidad?
8. Hijos	• ¿Cuál es para ti el mejor método de planificación familiar? ¿Qué crees que piensa del ello tu compañero/a? • ¿Te gustaría tener hijos? ¿Cuántos? • ¿En qué esperas cambiar tu estilo de vida a la llegada de los hijos? • ¿Cuál sería tu responsabilidad y cuál la "suya" en el cuidado y educación de los hijos?
9. Ocio	• ¿Cuál es tu actividad favorita para el tiempo libre? ¿Encaja con los gustos y preferencias de tu pareja? • ¿Cuánto puedes ceder para adaptarte a "sus" preferencias? • Si no llegáis a un buen consenso, ¿cómo te sentirías si desarrollase parte de su ocio con otras personas?
10. Suegros y familia	• ¿Qué importancia concedes a las relaciones con vuestras respectivas familias de origen? • ¿Quién crees que debe ser el máximo responsable para ocuparse de estas relaciones? • ¿Renunciarías a ciertas vacaciones familiares para relacionarte con tu familia política? • Cuando tus padres sean ancianos, ¿quién tendrá la responsabilidad de ayudarlos? • Cuando "sus" padres sean ancianos, ¿quién tendrá la responsabilidad de ayudarlos?

Área	Preguntas/ actividades para iniciar el diálogo
11. Valores/creencias	• Evalúa de 0 (desacuerdo total) a 10 (acuerdo total) el grado de acuerdo con tu pareja en materia de valores y creencias. • ¿Cuáles son las áreas de valores o creencias que crees más diferentes entre ambos? • ¿Profesáis la misma religión? • Si la respuesta es SÍ, ¿hay diferencias de importancia en el grado que cada uno concede a la religión? ¿Cómo crees que afectará la fe a vuestra vida diaria? • Si la respuesta es NO, ¿ves algún problema o conflicto a raíz de esta diferencia? Y si tenéis hijos, ¿qué instrucción religiosa crees que deben recibir?
12. Lo inesperado	• ¿Cómo reaccionarías frente a los siguientes sucesos si ocurriesen en tu matrimonio? ✓ Descubrir que no puedes tener hijos ✓ Enfermedad grave de tu esposo/a ✓ Pérdida de trabajo ✓ Tener que trasladarte a una vivienda inferior ✓ Atravesar una dificultad económica seria ✓ Muerte de un hijo ✓ Descubrir la infidelidad en tu esposo/a

Estas preguntas deben contestarse inicialmente por separado y después comparar las respuestas para entablar un diálogo abierto. Muchos de los puntos expresados pueden requerir el consejo de un especialista o alguien con larga experiencia matrimonial. No dudéis en pedir sugerencias en cuanto a cómo encarar estos problemas.

Combinación de factores

Es evidente que diversos puntos de vista ponen énfasis en aspectos diferentes y que la respuesta está en aprender de todos ellos.

La **teoría de la similitud** es útil a la hora de explicar que las personas buscan en su futuro cónyuge rasgos que son parecidos a los propios, aunque también es cierto que muchas personas buscan lo que les parece interesante en un hombre o una mujer, independientemente de que ellos los posean o no.

La **teoría de la eliminación** establece un orden por el cual se va reduciendo la muestra de posibles candidatos hasta llegar a la elección mutua. Mientras que este mecanismo es lógico y verdadero en términos generales, hay muchas excepciones a la regla, pues al amor no siempre sigue la lógica.

La **teoría de la atracción inicial** indica una progresión que con frecuencia se da, pero otras veces no. La idea del flechazo está ausente en parejas que se han conocido desde niños y empiezan a salir juntos, y a conocerse mejor, para acabar en un matrimonio de éxito.

Soltería

Por último, hay quienes no encuentran la pareja deseada y permanecen solteros. Otros optan libremente por ese estado. Aunque la mayoría de las personas escogen el matrimonio como estilo de vida, no son desdeñables las ventajas de permanecer soltero. El grado de autonomía y de libertad es sensiblemente superior, y ello se puede traducir, especialmente si la soltería no es una situación impuesta, en un mayor nivel de vida. Tendrá que cultivar las amistades y acercarse más a la familia para evitar carencias afectivas. Sería interesante que se integrase en grupos de apoyo y servicio a los demás, por ejemplo siendo voluntario en alguna ONG altruista, o colaborando con su iglesia, partido político, etcétera.

Conocerse y prepararse

Profundizar en el conocimiento mutuo y prepararse de cara al matrimonio son tareas de gran transcendencia para los novios. En la mayoría de las culturas, se concede una gran importancia a la ceremonia nupcial y todo lo que hay a su alrededor. Ya sea por presión familiar y social o por el encanto de materializar una fantasía acariciada durante años, se gastan cantidades enormes de dinero y muchas horas de trabajo en planear una boda. Se estima que la *mayoría* de las *bodas* conllevan un *gasto* equivalente a los ingresos familiares de *medio año*, por lo menos. Esto incluye los gastos de invitaciones, ropa, ceremonia, banquete, fotografías, luna de miel y una lista de misceláneos. Y si nos fijamos en el tiempo, muchas bodas empiezan a *planearse con un año de antelación* durante el cual se experimentan momentos emocionantes, pero también de estrés y de ansiedad.

Desafortunadamente, en muchos casos, se invierte muy poco esfuerzo en la tarea de conocerse mejor y de prepararse, no para la boda, sino para la vida en conjunto.

La preparación para el matrimonio debe ser intencional y con cierto grado de **organización** y **sistematización**. Esto puede llevarse a cabo de forma independiente, es decir, la pareja aparta tiempo para dialogar ampliamente sobre una lista de temas relevantes de cara al matrimonio. Otras veces, el diálogo se hace con la ayuda de organizaciones que ofrecen **cursillos prematrimoniales**. La dinámica de estos varía de acuerdo a los programas:

a) Unos utilizan conferencias y **charlas** en las que se informa a los asistentes de los

SIGNOS DE VIOLENCIA

Uno de los problemas más acuciantes es la violencia en la pareja y en la familia. Es común encontrar altas tasas de abuso familiar en todas las sociedades, incluso en las más opulentas y civilizadas. He aquí una lista de indicadores de violencia que aparecen ya en el noviazgo y que pueden ser claros precursores de una relación de abuso. Examina la lista siguiente para comprobar si son ciertas en tu pareja:

- Usa bebidas alcohólicas con regularidad.
- Es insensible a los animales o niños.
- Te dice palabras hirientes o humillantes.
- Desea controlar lo que tienes que hacer, decir, comprar, etcétera.
- Quiere apartarte de tu familia, amigos, o compañeros de trabajo.
- Muestra altibajos emocionales muy marcados.
- Ha usado la violencia anteriormente, aunque siempre con excusas.
- Cuando tenéis un altercado, te agarra con fuerza o te zarandea.
- Cuando se enoja, lanza o rompe objetos o golpea con los puños en la mesa.
- Culpa a otros de sus propios problemas.

Si has observado en tu pareja la aparición regular de alguno de los indicadores de la lista, estás corriendo el riesgo de ser víctima de la violencia. Cuantas más conductas de las indicadas posea, mayor será el riesgo. Quizá lo más prudente sea apartarte a tiempo de esta relación.

Diferentes necesidades

Willard Harley (HARLEY, W. F., 1986) propone una serie de necesidades peculiares en la mujer y en el hombre. Su libro, 'His needs, Her Needs' (Las necesidades de él, las necesidades de ella) ha sobrepasado el medio millón de ejemplares vendidos. He aquí las cinco necesidades más importantes para cada sexo:

La mujer necesita

1. **Cariño.** Las manifestaciones de aprecio y cariño por medio de palabras y de acciones son una auténtica necesidad en la mayoría de las mujeres.
2. **Conversación.** Si bien el hombre puede guardar largos silencios sin importarle, la mujer necesita conversaciones llenas de chispa y de emoción con su novio o marido.
3. **Confianza.** La mujer necesita que el hombre confíe en ella, que le sea sincero y no le oculte nada. Para ella, esto es fuente de estabilidad en la relación.
4. **Seguridad.** Aun cuando parezca una idea anticuada, la mayoría de las mujeres esperan que su compañero provea y administre bien los ingresos que proporcionan seguridad y satisfacción a la familia.
5. **Que él participe en la familia.** La mujer necesita ver que el hogar es para él un centro importante en su vida, más importante que su trabajo y que sus amigos.

El hombre necesita

1. **Satisfacción sexual.** Las palabras de aprecio y los abrazos pueden resultar suficientes para la mujer. Y esto es agradable para él, pero incompleto. El hombre necesita el acercamiento que acaba en el acto sexual.
2. **Compañerismo en el ocio.** Todo hombre sueña con que ella lo acompañe, participe, y se interese en su deporte o pasatiempo favorito.
3. **Una mujer atractiva.** El hombre necesita convivir con una mujer que se esfuerce por mantenerse bonita y responda a los gustos estéticos de él.
4. **Un hogar ordenado.** A pesar de los cambios sociales en este sentido, los hombres siguen anhelando una casa limpia y ordenada, en donde todo marche bien y sin alteraciones.
5. **Admiración.** El hombre necesita que su compañera lo admire, que reconozca sus logros profesionales o los trabajos caseros que él haga.

problemas conyugales y su posible prevención y solución.

b) Otros, más sofisticados, incluyen exploraciones psicológicas a través de **tests de personalidad** con sesiones individualizadas en las que el experto ofrece consejo a la medida de cada pareja, habida cuenta de los resultados de las pruebas.

c) Otros tienen como objetivo iniciar a los participantes en la tarea de la **buena comunicación**. Las charlas plenarias se reducen al mínimo y se da amplia oportunidad a las parejas para que hablen en privado sobre temas y problemas.

El temperamento

Las relaciones interpersonales se ven afectadas en gran parte por el temperamento. *Es, pues, necesario tener una idea de la tendencia temperamental* de ambos miembros de la pareja para poder estar prevenidos de las flaquezas y puntos fuertes.

Fue **Hipócrates** quien elaboró la primera teoría del temperamento. Pensaba Hipócrates que en el cuerpo humano predominaba un fluido sobre los otros y como resultado se exhibía un tipo u otro de temperamento. Hoy, ese concepto ha cambiado, pero se sigue utilizando la terminología que acuñó Hipócrates: sanguíneo, colérico, melancólico y flemático.

Se define el temperamento como la forma particular de reacción de las personas ante las circunstancias de la vida. Este modo de reacción viene motivado por el predominio fisiológico de un sistema orgánico, como por ejemplo el sistema nervioso, circulatorio o muscular. El cuadro de dos páginas que viene a continuación, describe los rasgos más salientes de los cuatro temperamentos. Con las **virtudes**, se detallan también los **defectos** y los objetivos más deseables en cuanto a **cambios**, ya que los aspectos adversos pueden atemperarse.

Digamos que no importa el temperamento que uno tenga para poder hacer una buena aportación al noviazgo y al matrimonio. La polifacética comunidad humana necesita de todos ellos. Pero *conviene conocer los aspectos positivos y los negativos del temperamento de cada uno para conocer si hay una clara incompatibilidad.*

Este punto puede ser básico para la convivencia y por ello convendría que un buen psicólogo hiciera los **tests de temperamento de la pareja** y posteriormente actuar en consecuencia. No debemos olvidar que el temperamento, por el predominio fisiológico de un sistema orgánico, viene dado en su mayor medida por la dotación física heredada. Por lo tanto, no es fácilmente moldeable como lo sería el carácter, con el que no hay que confundirlo. El temperamento es el que es y no se puede esperar que nuestra pareja cambie sustancialmente. *Se puede atemperar pero no cambiar.* De aquí la importancia de conocerlo previamente.

No es lo mismo 'temperamento', 'carácter' y 'personalidad'

Llegados a este punto, la pareja no debe confundir estos tres conceptos. Especialmente significativo para los novios es el temperamento, que apenas tiene un escaso margen para cambiar:

- **Temperamento**, como dijimos, es una parcela de la personalidad en la que predominan los factores biológicos que influyen en la conducta, específicamente en el modo personal de reaccionar. El sistema orgánico (nervioso, sanguíneo, muscular, etc.) viene dado en la herencia, por lo que es difícilmente modificable.

- **Carácter** es la "fisonomía psíquica", la forma de ser que se va forjando como fruto de la experiencia, el ambiente, la educación y el esfuerzo. La repetición de actos genera hábitos, y estos conforman el carácter. Por ello, el carácter es un componente educable de la personalidad.

- **Personalidad** es la manera de ser integral, que combina los rasgos heredados y los adquiridos. Por ello, tanto el temperamento como el carácter forman parte de la personalidad.

amor ideal

LA MEJOR DESCRIPCIÓN DEL AMOR IDEAL: 1 CORINTIOS 13: 4-8

La descripción que el apóstol Pablo ofrece, no solo se aplica al amor entre un hombre y una mujer, sino que también puede aplicarse a cualquier situación.
De hecho, el texto paulino ha sido y es considerado como la crónica del amor ideal, cuyo edificio contiene 15 elementos.

El amor...

- **... es sufrido.** El amor es una gran fuente de satisfacción, pero a veces de sufrimiento por amor al otro.
- **... es benigno.** El amor está lleno de buena voluntad, sin segundas intenciones, con el deseo claro de proporcionar bien al otro.
- **... no tiene envidia.** Lejos de pretender rivalidad y codicia, el verdadero amor experimenta satisfacción, y no tristeza, por el triunfo del contrario.
- **... no es jactancioso.** Quien goza del verdadero amor no se jacta, no busca sobresalir, sino hacer feliz al otro.
- **... no se envanece.** El amor no es compatible con la vanidad, pues la vanidad puede hacer que el otro se sienta inferior.
- **... no hace nada indebido.** La conducta de quien ama es correcta y considerada. No hace nada fuera de lugar.
- **... no busca lo suyo.** Quien ama verdaderamente, se esmera en proporcionar bien al otro, más que a sí mismo.
- **... no se irrita.** Conservar las buenas maneras y no perder los estribos son indicadores de respeto y de verdadero amor.

- **... no guarda rencor.** En toda pareja hay faltas que deben debatirse, perdonarse, olvidarse y no traerlas a colación en el futuro.
- **... no se goza de la injusticia sino de la verdad.** La relación de amor debe ser abierta, honesta y equitativa; un contexto donde no cabe la mentira.
- **... todo lo sufre.** Coincide en parte con la primera característica, añadiendo aquí que la relación de amor incluye tolerancia por todas las cosas.
- **... todo lo cree.** Una relación de verdadero amor necesita confiar en el otro y aceptar sus palabras y conductas como genuinas.
- **... todo lo espera.** El amor no consiste en un estado de perfección, sino más bien de expectativas e ideales que van alcanzándose día a día.
- **... todo lo soporta.** Por tercera vez se muestra la importancia de sufrir o soportar las posibles dificultades de la relación amorosa.
- **... nunca deja de ser.** Aunque el amor de un hombre y una mujer puede llegar a apagarse, el amor que el apóstol Pablo propone dura toda la vida.

LOS TEMPERAMENTOS

	SANGUÍNEO	COLÉRICO
Virtudes	El sanguíneo parece gozar de la vida más que ninguno de los otros tres tipos. Es sociable, locuaz, de risa fácil y buen humor. En la pareja, la presencia del sanguíneo favorece la relación optimista, amable y siempre alegre. Le es fácil olvidar las ofensas del pasado y está listo a perdonar o pedir perdón.	La persona de temperamento colérico posee una enorme fuerza de voluntad y una seguridad que le hacen alcanzar grandes logros. Goza de una reserva gigantesca de energía para conseguir sus objetivos. En la pareja resulta útil al ser un buen líder capaz de dirigir las cosas hacia una mejor situación.

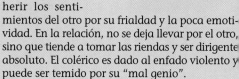

Defectos	Muchos de sus defectos le vienen por sus distracciones: se olvida de sus amigos y de los compromisos, se distrae en sus tareas... Esto puede acarrear problemas de relación, ya que la persona amada desea que se lo demuestren, con pequeños detalles, sorpresas de aniversario, etcétera. Tiende también a monopolizar la conversación y a centrarse en sí mismo escuchando poco, lo que constituye otra barrera importante en la relación amorosa. Su impulsividad le lleva a cometer errores con frecuencia, ya que no se detiene a pensar en las consecuencias que sus actos o palabras pueden ocasionar.	En el colérico, la razón domina tanto que tiende a ser implacable o sin sensibilidad. Esto en la vida de pareja, puede herir los sentimientos del otro por su frialdad y la poca emotividad. En la relación, no se deja llevar por el otro, sino que tiende a tomar las riendas y ser dirigente absoluto. El colérico es dado al enfado violento y puede ser temido por su "mal genio".

Objetivos para una mejor relación de pareja	• Desarrollar buenos hábitos en cuanto a los detalles amorosos. • Procurar una mayor sensibilidad hacia los sentimientos del novio o novia. • Ser más serio en los compromisos y más formal cuando las circunstancias lo requieran. • Desarrollar la autodisciplina en la vida de pareja. • Centrarse en hablar menos y escuchar más. • Procurar una humildad auténtica evitando la prevalencia del egocentrismo.	• Esforzarse en ser más cálido y humano con el otro. • Reconocer lo fácil de su enojo y ejercitarse en controlar ese impulso. • Pedir perdón y reconocer su error cuando lo haya. • Compartir la toma de decisiones con la persona amada. • Dejar de lado el perfeccionismo e intentar ser más flexible en la vida en común.

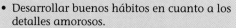

MELANCÓLICO	FLEMÁTICO

Virtudes

El sujeto melancólico es sensible por naturaleza y capaz de alcanzar una comprensión cabal de otros. Esto no es óbice para que se entregue a la acción y a la solución de problemas. Su modo de pensar es cauto y reflexivo. Le gustan las cosas bien hechas. En la relación de pareja, se ocupa en profundidad de planes y detalles, y muestra lealtad, sacrificio y compromiso hacia el compañero o compañera.

Capaz de conservar la calma en las situaciones más adversas, el flemático contribuye a mantener el equilibrio y la paz en la pareja. Es amable, pacificador y diplomático. Cuenta con un aspecto altamente positivo para la convivencia en pareja: sabe escuchar. Y como consecuencia, tiende a ser un excelente consejero.

Defectos

Su mente analítica y observadora lo lleva con frecuencia a examinar escrupulosamente los hechos y sus implicaciones, ocasionando a veces temor y ansiedad. El melancólico tiende al pesimismo y a la aprensión. En la pareja, puede llegar a ser suspicaz, viendo en actos y palabras intenciones inexistentes. También tiende al perfeccionismo y a esperar la perfección por parte del otro, aunque no con la fuerza del colérico. Aun cuando en apariencia ofrezca una imagen calmada y tranquila, en el interior pueden existir sensaciones de rechazo o venganza que no exteriorizará como el colérico, sino que guardará para sí.

La lentitud y aparente falta de entusiasmo pueden hacer que otros lo rehúyan. Este problema constituye un obstáculo en muchas tareas profesionales. En la pareja, su excesiva calma y lentitud irritantes, a veces suponen una prueba de paciencia. El flemático cuenta con poca confianza en sí mismo, lo que lo hace indeciso y con falta de motivación. Debido a su facilidad para el sarcasmo puede burlarse de aquellos que lo molestan o adoptar una actitud de superioridad.

Objetivos para una mejor relación de pareja

- Evitar ser crítico y pesimista frente al otro.
- Confiar en la buena intención de la persona amada.
- Ejercitarse en mirar al futuro de la pareja con calma y confianza.
- Ocuparse en el servicio a los demás, en lugar de estar absorto en sí mismo.
- Reconocer y agradecer sinceramente los logros del otro.

- Vencer la pasividad frente a la persona amada.
- Esforzarse en añadir ritmo a sus actividades.
- Adoptar un profundo respeto hacia el compañero o compañera.
- Aprender a darse más al compañero/a.
- Reconocer su inseguridad y deshacerse de ella para una mejor relación.

Hombre y mujer: las diferencias

también cualitativas. La tiroides femenina, por ejemplo, es especialmente activa y produce diferencias fisiológicas (un tejido cutáneo diferente al de los hombres) y psicológicas (una emotividad más intensa que los hombres).

- Incluso la sangre presenta una composición distinta: un 20% menos de glóbulos rojos en *la mujer*, lo que la hace *más vulnerable al cansancio a corto plazo.*

Diferencias de carácter psicológico

También existen diferencias psicológicas importantes en el pensamiento y en la conducta. Aun cuando parte de este fenómeno se deba a la influencia de la sociedad, existen diferencias hormonales y constitucionales innegables que llevan consigo manifestaciones en la conducta.

- Desde la lactancia se aprecian diferencias entre los bebés. Los niños se centran más en los **objetos** y los juguetes, mientras que las niñas lo hacen más en las **personas**.

- Los niños son más **manipuladores** y menos **verbales** que las niñas.

- Los múltiples estudios sobre la **agresividad** revelan consistentemente niveles más altos en los niños que en las niñas.

- Las niñas aprenden a **hablar y escribir** más pronto que los niños y estos superan a aquellas en las **tareas espacio-temporales**: leer mapas o imaginarse objetos en movimiento.

Embarcarse en el matrimonio sin conocimiento de la **biología** y **psicología** femeninas y masculinas, constituye un gran riesgo. Si existiera un curso obligatorio para novios en preparación para el matrimonio, el tema de las **diferencias** entre hombre y mujer aparecería entre los primeros.

Diferencias de carácter biológico

- El **sistema locomotor**, por ejemplo, rinde de forma distinta en hombres y en mujeres porque la estructura muscular y ósea es distinta.

- El **estómago**, los **riñones**, el **hígado** y los **pulmones** presentan diferencias importantes en el tamaño.

- La **circulación sanguínea** de la mujer es más rápida; y la respiración, más lenta que la de los hombres.

- Y si hablamos de **glándulas endocrinas**, las diferencias no son solo cuantitativas, sino

En la etapa adulta, también continúan las diferencias. Podemos observar en el cuadro de la página 35, un esbozo de las necesidades propias de la mujer y del hombre, las cuales constituyen un factor de gran relevancia para alcanzar el equilibrio en la vida de pareja. Es posible que podamos pensar en excepciones a esa lista, pero es también cierto que observando la tendencia generalizada entenderemos mucho mejor al colectivo de mujeres y de varones.

Relación con una muchacha de distinta etnia

Me llamo Ernesto, tengo 19 años, soy blanco y estoy saliendo con una muchacha de color que tiene mi misma edad. Conectamos muy bien y prácticamente no tenemos desavenencias. Sin embargo, me advierten mis amigos que ande con cuidado porque hay muchas diferencias y si llegáramos a casarnos, acabaríamos divorciándonos. ¿Cuáles son los problemas de las relaciones mixtas?

Las características raciales de las personas blancas y las personas negras prácticamente no difieren. La genética ha dejado de usar el concepto de raza en la especie humana porque el código genético universal halla una diferencia sumamente insignificante (menos del 0,001%) al comparar las diversas razas. Y hoy la antropología prefiere hablar de etnias.

Ahora bien, la etnia puede ser indicativo de cultura, valores, religión, costumbres, etcétera, lo cual sí puede dar lugar a diferencias significativas y hacer peligrar la relación. Además, desafortunadamente, la mayoría de las sociedades muestran discriminación (abierta o encubierta) hacia las etnias minoritarias. Y esto sería otra fuente de problemas en una relación mixta (ver los estudios de McGoldrick, M. y Preto, N. G., 23: 347-367, 1984).

Por tanto, sería conveniente analizar vuestra situación reflexionando en las siguientes preguntas:

- ¿Hay diferencias marcadas en nuestros **valores** (lo que consideramos realmente importante en la vida)? Las parejas con valores muy diferentes tienen serios problemas de convivencia.

- ¿Hay diferencias **religiosas**? La práctica de la fe religiosa es un elemento aglutinante en la pareja, pero una probable fuente de conflicto si la religión no es común.

- ¿Hay diferencias **culturales** importantes? Los estudios muestran que los matrimonios de diferentes grupos étnicos cuentan, por promedio, con mayor riesgo de divorcio y de problemas maritales que los matrimonios homogéneos.

- ¿Hay diferencias respecto al **nivel socioeconómico**? Las parejas que provienen de niveles muy diferentes tienen más dificultades de adaptación al matrimonio que las provenientes de niveles socioeconómicos homogéneos.

- ¿Cuál es la postura de vuestros **padres**? Algunos padres y madres de jóvenes en relaciones como la vuestra muestran desacuerdo. Si ese es el caso, es importante, aunque no fundamental, que penséis en las implicaciones, pues estaríais cerrando las puertas a una parte importante: vuestras familias de origen.

- ¿Pensáis tener **hijos**? Si es así, ¿dónde se integrarían? ¿En el grupo racial materno o en el paterno? Además, los hijos de parejas étnicamente mixtas cuentan con problemas personales y de relación más frecuentes que los hijos de parejas étnicamente homogéneas.

Siete ingredientes básicos para el matrimonio de éxito

A todos los novios les gustaría tener cierta garantía de que su futura vida matrimonial funcionará bien. Pues bien, infinidad de datos en los últimos veinticinco años, especialmente a través del programa "Prepare", nos ofrecen resultados claros en cuanto a los factores que dan lugar a un matrimonio feliz (Fowers, B. J. y Olson, D. H., 12: 403-413, 1986; Larsen, A. S. y Olson, D. H., 15: 311-322, 1989). Utilizando esta información, los novios pueden examinar su situación y prevenir futuros problemas matrimoniales.

He aquí los siete indicadores de más peso en el éxito de la pareja:

1. Expectativas realistas

Las expectativas ilusorias constituyen un gran peligro para el matrimonio. Muchos jóvenes piensan que el matrimonio es un estado de felicidad permanente. Por desgracia, se decepcionan al descubrir que la realidad no coincide con sus ideas previas.

La felicidad no es un estado, es algo que se planea, se busca y se mantiene con esfuerzo.

El libro *Saving Your Marriage Before It Starts* (Salve su matrimonio antes de que empiece), de Les y Leslie Parrot, 1996, presenta **cuatro mitos del matrimonio** que constituyen un gran peligro, especialmente para los recién casados:

- *"Cuando nos casemos no tendremos grandes diferencias."*
- *"Cuando nos casemos los buenos momentos se multiplicarán."*
- *"Cuando nos casemos desaparecerán los malos momentos."*
- *"Cuando nos casemos mi pareja suplirá mis defectos."*

Todo esto puede ocurrir, pero ni será lineal ni llegará sin esfuerzo. Ambas partes deben invertir tiempo y dedicación para cultivar el amor. Es verdad que el matrimonio pone en marcha mecanismos que ayudarán en la relación, pero no es un acto de prestidigitación que lo arregla todo.

2. Buena comunicación

La habilidad para comunicar más allá de la mera información cotidiana, es decir, el *intercambio de sentimientos y emociones*, siempre aparece en los estudios entre los dos o tres factores de éxito que encabezan la lista. La inmensa mayoría de las parejas consideradas felices están satisfechas con la forma de comunicarse con el cónyuge. En un estudio donde participaron más de veinte mil parejas (Olson, D. H., Fye, S. y Olson, A., 1999.), se comprobó que la mayoría de quienes habían sido identificados como parejas felices contestaron afirmativamente a preguntas tales como:

- *"¿Estáis satisfechos de la forma en que conversáis mutuamente?"*
- *"¿Tu cónyuge hace comentarios edificantes (y no despectivos) hacia ti?"*
- *"¿Te sientes cómodo/a al pedirle al cónyuge lo que deseas?"*
- *"¿Te resulta fácil expresar tus sentimientos a tu compañero/a?"*

La gran mayoría de parejas consideradas insatisfechas respondieron negativamente a esas preguntas.

¿Cómo saber si estoy enamorado/a?

El enamoramiento es una reacción emocional y, como tal, surge con fuerte intensidad en la adolescencia y en la juventud. La experiencia ha demostrado que el amor que se siente por otra persona puede ser auténtico o simplemente una atracción muy intensa, pero pasajera. He aquí algunas características que pueden ayudar a distinguir estos dos sentimientos:

El verdadero amor...

- ... supera la prueba del tiempo, mientras que la atracción tiene una duración temporal, relativamente corta.
- ... supera la prueba de la separación. Cuando, por las circunstancias, la pareja se separa durante semanas o meses, el amor continúa y crece, mientras que la atracción se apaga ante la ausencia temporal del otro.
- ... conlleva resultados positivos: un mejor rendimiento en los estudios, en el trabajo, etcétera, mientras que la mera atracción tiende a traducirse en menor rendimiento o resultados negativos.
- ... favorece el respeto por el otro en cuanto a los acercamientos físicos, mientras que la atracción se mueve rápidamente hacia la sexualidad.
- ... reconoce la realidad, los puntos fuertes y los débiles, mientras que la atracción es ciega y carente de un juicio equilibrado.
- ... tiende a contar con la aprobación de la familia y amigos, mientras que la simple atracción no cuenta con el agrado de los allegados.

La gran carga emotiva del amor entre un hombre y una mujer debe llevar, en cierta medida, un componente lógico y racional que equilibre el progreso de la relación, evitando los extremos.

3. Capacidad para resolver conflictos

Debido a la amplia variedad de experiencias antes del matrimonio y a la multiplicidad de modos personales de ser y de pensar, ciertos conflictos en la vida de casados son inevitables. La solución no consiste en confiar en que no aparezcan roces, disputas o desacuerdos. La solución está en saber cómo resolver estas situaciones. El tema es tan importante que hemos dedicado todo un capítulo, el 6, para aprender modos de solucionar conflictos conyugales.

4. Agrado por la personalidad del otro

Otro factor de importancia primordial es sentir agrado y admiración por la forma de ser del otro. Cuantos más rasgos admiremos en nuestra pareja, más sólido será el edificio de la convivencia. Y esta admiración *ha de expresarse con palabras* de elogio hacia el cónyuge para nutrir su autoconcepto, un escalón básico hacia el éxito matrimonial.

Naturalmente existen rasgos en el otro que no son de nuestro agrado. Rasgos tales como la testarudez, la dominancia, los celos, la inestabilidad emocional o la falta de puntualidad están arraigados en ciertas personas y hemos de entender que probablemente no desaparezcan después de la boda. Sin embargo, con esfuerzo y perseverancia pueden debilitarse y ambas partes adaptarse al cambio.

5. Valores éticos y religiosos comunes

Religión y ética aparecen como valores de gran importancia en la estabilidad de las parejas. *Cuando hay consenso en estas materias, los lazos interpersonales tienden a fortalecerse profundamente*, ya que las creencias y convicciones no solo están en la mente sino que alcanzan prácticamente todos los aspectos de la existencia humana: desde el empleo del dinero, hasta el trato con otros.

Según los estudios realizados en este tema (ver Stinnett, N.; Defrain, J. y Defrain, N, 1997), las parejas y familias de éxito, suelen contar con creencias religio-

sas y convicciones éticas similares. En cambio, la falta de estas puede ser la causa directa de serios y peligrosos altercados.

6. Acuerdo en las responsabilidades de cada uno

El reparto de funciones y responsabilidades en la vida matrimonial es una de las grandes piedras de tropiezo en los recién casados. Por esta razón debe ser parte integrante de cualquier programa de preparación para el matrimonio. En efecto, es necesario debatir si uno o ambos cónyuges van a **trabajar**. Si se opta por lo último, hay que saber cuál de los empleos es más importante, dato este útil si hubiera que

---

EL CONSEJO DEL PSICÓLOGO

«Me dice que ya es hora de hacer el amor»

Tengo 18 años y llevo unos tres meses saliendo con mi novio de 20. Nuestra relación es buena, en general. Yo lo quiero y él también me quiere. Salimos los fines de semana y vamos de paseo, a bailar o a algún espectáculo. Nos lo pasamos estupendamente. Sin embargo, ahora está enfadado porque me dice que ya es hora de hacer el amor, y yo no estoy de acuerdo. Él insiste: «Si me quieres, demuéstramelo de esa manera, o si no, rompemos.» Para mí, lo correcto es hacerlo cuando estemos casados, pero creo que si no se lo permito, perderé a mi novio. ¿Qué debo hacer?

Tu idea de reservar el acto sexual para el matrimonio es legítima y no deberías ceder simplemente porque él amenace con romper. Por lo que describes, vuestra relación está en una etapa muy inicial del noviazgo. Salís juntos a hacer actividades que os entretienen y divierten. Pero no estáis planeando una relación en serio, a largo plazo, buscando objetivos comunes y considerando el matrimonio como posible meta. La relación no está como para hacer el amor. Si tus planes son de continuar, preséntaselo así a él y explícale que quisieras avanzar más en vuestra relación y hacer planes de boda y que te gustaría que él también mirara a vuestro futuro de igual manera. Su reacción te dirá de inmediato si sus miras son tan serias como las tuyas.

RAZONES NO VÁLIDAS PARA CASARSE

Con frecuencia los matrimonios se tambalean y pueden acabar en divorcio porque se llegó a ellos por razones incorrectas, por ejemplo:

- **Casarse por rebelión.** Hay padres que muestran opiniones dogmáticas señalando los candidatos válidos para sus hijos. Como reacción a esta actitud, algunos jóvenes deciden casarse precisamente con quien sus padres rechazan.

- **Casarse por atracción física.** El atractivo como único criterio de elección es arriesgado por ser efímero. Si el matrimonio está fundado solo en la belleza, aquel durará tanto como esta, que se deteriora con los años. Pero incluso mientras dure, será insuficiente para preservar el amor.

- **Casarse por lástima.** Existen casos de hombres o mujeres que les da pena romper una relación por el dolor que ocasionará en el otro, o quienes entran en el matrimonio por ayudar a alguien a salir de un problema (por ejemplo, la adicción al alcohol). La compasión no es un sustituto del amor y estos matrimonios suelen durar poco.

- **Casarse por dinero.** Cuando la mejora económica es el único atractivo, se pasarán por alto otros aspectos claves para la convivencia, y el dinero no será suficiente para arreglar los problemas de relación.

- **Casarse para escapar.** Jóvenes inmersos en situaciones familiares adversas (abuso, pobreza) pueden ver en el matrimonio una salida digna. Otros pueden usarlo como elemento de emancipación al llevarse mal con sus padres. Aunque escapar de esas situaciones es deseable, hacerlo por vía del matrimonio es peligroso.

- **Casarse de rebote.** Cuando una relación se quiebra, parece existir una tendencia a iniciar otra relación y casarse apresuradamente. Esto puede hacerse por despecho o por aliviar el dolor que produce la ruptura, ambas razones son inválidas para establecer una relación de por vida.

Aunque muchos matrimonios iniciados por una razón errónea acaban siendo uniones felices, hay que tener en cuenta el **alto riesgo** que se corre al iniciar un matrimonio que no está basado en el amor, sino solo y exclusivamente en una o más de las razones expuestas.

aceptar un traslado. Y si se tienen **hijos**, hay que saber el papel que el padre y la madre desempeñarán en su cuidado y educación. Otras decisiones menores, pero a la vez importantes, tienen que resolver quién se ocupará del **automóvil**, de la **limpieza** de la casa, de la **colada**, del **planchado** o de la **cocina**. Estas fueron cuestiones simples en el pasado, por la rigidez de las asignaciones, pero hoy son complejas y requieren una buena dosis de condescendencia en ambas partes para alcanzar acuerdos satisfactorios. El cuadro-test *"Prepárate para el matrimonio"* (ver págs. 32-33) ofrece a la pareja la posibilidad de evaluar su grado de acuerdo mutuo y, como consecuencia, realizar los ajustes oportunos.

7. Acuerdo sobre cómo usar el tiempo libre

El estilo de vida actual permite mucho más tiempo libre que hace un siglo cuando el trabajo era más intenso, dentro y fuera de casa. Este avance conlleva el riesgo de conflictos a la hora de usar el **tiempo de ocio**. Es necesario explorar este tema también. *"¿Cuáles son mis actividades favoritas?" "¿Cuáles las suyas?" "¿En qué puedo cambiar para acomodar algunas de mis preferencias a las suyas?"* El acuerdo no tiene que ser absoluto, pero ambas partes han de sentirse razonablemente satisfechas con el resultado.

Duración y etapas en el noviazgo

La duración del noviazgo ha de ser razonable. No demasiado breve ni demasiado larga. Los noviazgos excesivamente **cortos** están asociados con *alta probabilidad de divorcio*. Estos noviazgos no permiten llegar a establecer relaciones en las que se obtenga un conocimiento mutuo lo suficientemente maduro como para tomar la decisión del matrimonio. Generalmente, esta decisión se hace basándose en un primer contacto romántico y artificial que no presenta la realidad de ambos cónyuges. Por su parte, los noviazgos excesivamente **largos** pueden incurrir en el *deterioro de la relación*. Los noviazgos que se continúan después de haber alcanzado ese punto de madurez de la decisión, pierden de vista el propósito del noviazgo y este no tiene más razón de ser.

Cada noviazgo es diferente, pero casi todos siguen un **proceso** de desarrollo similar. Las etapas más sobresalientes son:

- **La etapa afectiva.** Esta primera fase del noviazgo suele ir acompañada de una *fuerte atracción*, predominantemente física, y unas conductas limitadas a aspectos superficiales. Las conversaciones giran en torno a las cualidades maravillosas del otro. La pareja disfruta con la sola presencia mutua. Rara vez hay diputas o enojos. Esta etapa hace que algunos jóvenes no duden haber nacido el uno para el otro, pero este primer amor no garantiza un amor duradero (véase el cuadro de la página 37, *"La mejor descripción del amor ideal"*). También en esta etapa pueden surgir exigencias por una parte que no cuentan con el acuerdo de la otra (véase el cuadro de la página 44, *"El Consejo del Psicólogo: «Me dice que ya es hora de hacer el amor»"*).

- **La etapa de objetivos comunes.** Transcurrida la primera etapa, el análisis mutuo se profundiza hasta el punto de contar con conocimiento suficiente para saber si esta relación puede encaminarse a un matrimonio estable y definitivo. En esta etapa la pareja observa con detenimiento aspectos de la *personalidad*, los *gustos*, los *valores* y *actitudes* del otro. Como resultado de esta relación avanzada, pueden descubrirse obstáculos insalvables que acaben en ruptura, o simplemente diferencias sobre las que hay que llegar a acuerdos.

- **La etapa del compromiso...** Si el noviazgo continúa, se entra en una fase que implica

Planificación de la boda

Los meses que preceden al enlace suelen ser difíciles para la pareja. Son momentos para ejercer la máxima paciencia mutua y conservar la calma y el buen juicio. Por ello es importante hacer planes con suficiente tiempo y con la ayuda de alguna persona allegada que salve a la pareja de una carga excesiva.

He aquí algunas áreas que necesitan considerarse y tomar decisiones en conjunto:

- Dónde celebraremos nuestra boda.
- Quién oficiará la ceremonia.
- Quién nos ayudará en los preparativos.
- Cuáles son los detalles que cada uno quisiera incorporar.
- De qué me encargo yo.
- De qué se encarga él/ella.
- Cómo complacer a los padres de ambos.
- Cómo complacer a los familiares y amigos.
- Dónde será la recepción.
- A dónde iremos de luna de miel.
- Cuáles son las implicaciones económicas de los gastos de boda.

NOVIAZGOS PRECOCES Y TARDÍOS

Noviazgos precoces

Ventajas: La única ventaja de entablar relaciones a edad muy temprana es la oportunidad que la pareja tiene de crecer juntos, en lugar de unirse cuando las actitudes y los hábitos han sido cimentados por separado.

Inconvenientes: Aun cuando puede haber excepciones, la lista siguiente contiene riesgos importantes en las relaciones precoces:

- Falta de madurez emotiva
- Falta de medios económicos
- Oposición paterna
- Prejuicio social
- Riesgo de conflicto
- Riesgo de no estar verdaderamente enamorado

Noviazgos tardíos

Ventajas: La pareja madura tiene más experiencia en las relaciones humanas y más madurez emocional que los jóvenes. Cuentan generalmente con economías estables que ofrecen seguridad y estabilidad. Al ser menos apasionados tienen mayor capacidad para discernir el amor de la fantasía romántica.

Inconvenientes: Por el contrario, la personalidad y los hábitos de los componentes del noviazgo tardío están ya formados y pueden dar lugar a conflictos por falta de flexibilidad. Pueden también surgir disensiones de índole económica, pues los patrimonios respectivos han crecido por separado durante años. Por último, pueden surgir problemas de paternidad, especialmente sobrepasando la edad de cuarenta años en la mujer.

Observando las razones que se ofrecen en ambas alternativas, parece recomendable que la edad de mayor probabilidad de éxito matrimonial no sea demasiado temprana, ni demasiado tardía. Antes de dar el paso hacia el matrimonio, es conveniente haber alcanzado un mínimo de condiciones personales y económicas, así como una preparación profesional.

un firme compromiso mutuo, traducido generalmente en ***planes de boda***. Durante esta etapa suelen sobrevenir problemas importantes, a veces relacionados con la planificación de la boda (véase el cuadro *"Planificación de la boda"*, en la página anterior), otras veces con aspectos personales (conflictos, peleas, etc.). Es bueno considerar esto como un hecho normal de esta etapa cargada de estrés. En estos momentos es necesario ejercer ciertas renuncias, en relación con hábitos y actitudes, por ambas partes a fin de alcanzar una convivencia que no implique el dominio absoluto de uno de los dos.

- ... **o de la ruptura.** En ocasiones, la relación no prospera debidamente y la mejor opción es la ruptura. Es importante reconocer que la tensión y el trasiego de la planificación de la boda crean inevitables choques y disgustos; y esto no debería ser razón para romper la relación. Sin embargo, la ***pérdida del amor*** en una de las partes, manifestada claramente por la conducta y las palabras, sí es razón para la ruptura. Otros problemas graves como el abuso de ***alcohol*** o ***drogas*** y la ***violencia*** física o psicológica, son indicadores suficientes para romper la relación. No es recomendable continuar el noviazgo con la falsa esperanza de que estos problemas serios se arreglarán al estar casados. La probabilidad de solución es muy pequeña y los riesgos, extremos.

Sumario de este capítulo

Recién casados

3

REMEDIOS Y ÁNGEL llevan casados algo más de un año. Ha sido un periodo de dicha y satisfacción, aunque con algunos aspectos escabrosos que, afortunadamente, van salvando con éxito. Al principio, las diferencias en el modo de vivir diario les chocaban, pero poco a poco han ido adaptándose, especialmente porque entienden que provienen de familias con tradiciones domésticas muy diferentes. Ambos intentan ser tolerantes con la idiosincrasia del otro y se han comprometido a fijarse más en las virtudes que en los defectos.

Uno de los puntos de batalla iniciales fue el reparto de las funciones de cada uno. Ambos tienen empleos remunerados a tiempo completo. Remedios esperaba que, al volver del trabajo, ambos se ocupasen de las tareas domésticas, pero Ángel no se involucraba en estos asuntos por considerarlos cosa de mujeres. Esto ocasionó algunos enfrentamientos, pero con diálogo y pactos las tareas se repartieron y el problema acabó solucionándose.

Pasados los primeros meses asimilaron sus respectivas necesidades y expectativas.

Características de la pareja en su etapa de recién casados

- El **compromiso** adquirido en la boda incluye amor, unidad, respeto, apoyo incondicional, fidelidad y duración de por vida. Guardar estos compromisos supone ganar en estabilidad y felicidad.

- Una **buena sexualidad** desde el principio del matrimonio no solo es un factor de **goce mutuo**, sino que también es un componente vital para el éxito general del matrimonio.

- Hombre y mujer necesitan **conocer** las características peculiares de **cada fase del acto sexual**, además de las implicaciones prácticas que harán que tanto él como ella disfruten plenamente de la sexualidad.

  - El **sexo** es el medio para la procreación pero es también **expresión de amor** mutuo y fuente de **satisfacción** para una mejor relación.

    - La adaptación a la vida matrimonial lleva consigo **cambios** importantes en el estilo de vida y los casados necesitan prepararse para dichos cambios.

    - **Entender el pasado** propio y del cónyuge, establecer expectativas realistas y ser **positivo** respecto al otro, son modos válidos de conseguir una buena adaptación a la vida de casados.

    - Un reto importante en esta etapa es el **reparto de funciones.** Para hacer esto satisfactoriamente, ambos cónyuges deben ser flexibles, generosos y comprensivos.

  - Los recién casados deben practicar a conciencia el arte de **comunicarse** mutuamente a fin de mejorar la calidad de su relación.

- Los **conflictos y discusiones** son comunes en los recién casados pero pueden resolverse con éxito mediante una actitud de buena voluntad y siguiendo los consejos sencillos que se ofrecen en este capítulo.

- Una de las primeras tareas de los recién casados es acostumbrarse a la **economía conjunta**, y esto puede hacerse dialogando abiertamente y utilizando un simple **presupuesto, consensuado,** que controle el gasto familiar.

- La vida social de la pareja experimenta ciertos **cambios** a los que los casados deben **adaptarse** alcanzando **acuerdos.**

El compromiso adquirido en la boda

El casamiento es un **acto público y formal** en el que la pareja contrae una serie de compromisos. En la mayoría de las culturas, se reviste de solemnidad por tratarse de un acontecimiento excepcional y gozoso, y que merece se le dé la debida importancia. Casi siempre existen símbolos indicativos no solo de la especial ocasión (vestido de novia, decorados, etc.) sino también de la durabilidad del pacto (alianza o fórmulas tales como: «hasta que la muerte nos separe»).

A la boda acuden un hombre y una mujer que libremente desean contraer matrimonio y también asisten el oficiante y familiares y amigos que sirven como testigos del acto. Precisamente en este contexto se hacen los esponsales o promesas (votos) matrimoniales. Hecho el casamiento en la forma determinada por la ley, surte ciertos efectos civiles.

En la **boda religiosa**, el acto toma un significado aún más profundo. Se entiende que Dios también está presente y es testigo de la unión y de los compromisos que se contraen. De hecho, el verdadero creyente no solo invita a Dios a su boda, sino que el Creador mismo forma parte espiritual en la vida matrimonial, bendiciendo y prosperando a la pareja de la forma que mejor conviene de acuerdo con los designios divinos (véase el cuadro de la página 52).

En la mayoría de las culturas y religiones, estos son los **compromisos** que acompañan al casamiento:

- **Amor.** El matrimonio debe estar basado en el amor, no en la coerción. Donde hay amor mutuo, hay felicidad, satisfacción y bienestar. El amor es el ingrediente primordial de la relación conyugal. Ya se hizo una definición de este concepto básico en las páginas 37 y 43.

- **Unidad.** En cierto sentido, la ceremonia nupcial transforma a dos personas en una sola. Aunque esto es una figura retórica, sirve bien para comprender que los casados, a partir de ahora, vivirán juntos, compartirán penas y alegrías y llegarán a alcanzar un alto grado de compenetración, sin perder la individualidad.

- **Respeto.** Con la boda, la pareja se compromete a desplegar un profundo respeto mutuo. Este pacto no deja lugar a explotación de ningún tipo; es más, exige una absoluta consideración por parte del cónyuge.

- **Apoyo incondicional**. El compromiso de la boda no solo se extiende a los momentos favorables, sino frente a cualquier circunstancia. Por ello, las fórmulas suelen insistir en el mutuo apoyo no solo en la salud, sino también en la enfermedad; y no solo en la riqueza, sino también en la escasez.

- **Fidelidad.** Esta cláusula exige permanecer fiel al cónyuge y, por ejemplo, proscribe mantener relaciones sexuales con cualquier persona distinta del cónyuge.

- **Duración vitalicia.** «Hasta que la muerte nos separe» es la típica fórmula que indica que el matrimonio es para toda la vida. Aunque el divorcio haya llegado a ser popular en muchas partes, esto no indica que la ruptura sea una opción deseable. De hecho, los contrayentes sinceros comienzan su nueva vida con el deseo y propósito de que dure hasta el fallecimiento de uno de ellos.

Un análisis cuidadoso de estos pactos mostrará que la desdicha que afecta a muchas parejas y que a veces termina en ruptura halla su raíz en la violación de uno o más de estos compromisos. Por su parte, las parejas que han edificado su relación sobre la base de estas cláusulas disfrutan de una convivencia llena de dicha y de ventura.

La boda

La noche de bodas

Al día de la boda, sigue la noche de bodas. La tradición ha dado mucha importancia a esta primera noche de casados. Sin embargo, no debería considerarse crucial ya que viene después del que para muchos es el día más ajetreado de su vida. Existe, pues, el riesgo de que la noche de bodas no sea el mejor ejemplo de acercamiento, ternura y sexualidad plena. Por ello deben tenerse en cuenta una serie de reflexiones para ese momento:

- **No dar demasiada importancia a esta noche.** Desde el punto de vista "técnico" es improbable que esta primera noche sea un éxito por el cansancio y por la supuesta falta de experiencia de los recién casados. Pero el éxito afectivo no tiene por qué verse amenazado.

- **Evitar los egoísmos desde el primer momento.** El cariño y la comprensión mutuos son fundamentales para hacer que esta experiencia se recuerde con agrado.

- **Entender que una mayor destreza vendrá con el tiempo.** Es importante no decepcionarse con los resultados de esta primera noche. La práctica y el tiempo permitirán una sexualidad mucho más satisfactoria.

- **Para él: ser delicado y evitar brusquedades.** La excesiva pasión puede resultar chocante, e incluso dolorosa para ella. Es, pues, necesario que ejerza el mayor cuidado y afecto posibles.

- **Para ella: acudir tranquila y relajada.** Si es virgen (circunstancia ideal), la mujer no debe acudir esta noche con el sentimiento de que el acto sexual será doloroso. De hecho este temor dificultará el coito. Tampoco debe asustarse por ver un poco de sangre en la vagina, ya que esto es completamente normal.

Una luna de miel inolvidable

La luna de miel constituye una ocasión gratificante en sí misma y al mismo tiempo una oportunidad de probar la nueva vida conyugal

Triángulo Creador-Hombre-Mujer

CREADOR

La experiencia demuestra fehacientemente que las parejas que creen en Dios, que cuentan con él y que cultivan una fe viva, tienen un índice de estabilidad superior a las que carecen de base espiritual trascendente. La razón estriba en que los desequilibrios son descompensadores y el ser humano tiene cuatro dimensiones: la física, la mental, la social y la espiritual. Ninguna de ellas puede descuidarse sin romper el equilibrio vital.

HOMBRE

MUJER

La luna de miel es un periodo en el que lo hermoso y placentero del noviazgo se intensifica. El aislamiento de lo cotidiano resulta de interés, pero no los viajes de los que puedan terminar exhaustos. Necesitan tiempo y tranquilidad para concentrarse en sus sentimientos y expresarlos con la mayor ingenuidad.

en un ambiente **distendido** y **aislado** del entorno habitual. En suma, es una ocasión de empezar con buen pie el camino de casados. Planificar una luna de miel óptima requiere cubrir algunos puntos básicos que esbozamos a continuación:

- **Hacer planes con suficiente antelación**. Una luna de miel en regla requiere preparación cabal y esto suele llevar tiempo, especialmente si se escogen destinos y fechas en temporada alta.

- **Escoger un lugar de mutuo acuerdo.** Aunque hay quienes prefieren preparar la luna de miel a solas para sorprender al cónyuge, recomendamos que se hagan los planes en conjunto, conociendo así los gustos y preferencias individuales.

- **Organizarlo para la pareja y no para gusto de otros.** Esta ocasión es de gran significado para los recién casados y debe tener lugar para goce de ellos, no para impresionar a otros.

- **Evitar viajes organizados que cuenten con demasiada actividad.** Durante la luna de miel, los novios quieren estar solos y jun-

tos, y no resulta adecuado apuntarse a un recorrido activo y con otras muchas personas. El objetivo de la luna de miel es gozar de la compañía mutua, sin demasiado trasiego.

- **Prepararse para encontrar detalles desconocidos.** La convivencia, incluso en un marco excepcional como la luna de miel, trae consigo el descubrimiento de cosillas que no gustan (manías, desorden, orden excesivo, falta de limpieza...). Es conveniente hablar de ello con mucho tacto y cariño. Por otra parte, también habrá sorpresas agradables que necesitan valorarse positivamente.

- **Prepararse para el regreso a la realidad.** Los días de la luna de miel se acaban pronto y hay que entender que a ellos sigue la realidad del trabajo y las obligaciones diarias. Es el momento para prepararse mentalmente de cara al reto de la adaptación, al cual se dedica la mayor parte de este capítulo.

- **La mejor técnica, el amor.** Por encima de todo propósito, plan o actividad, recuérdese que el ejercicio del amor mutuo constante durante estos días especiales es la clave del éxito.

El reparto de responsabilidades

Una de las primeras realidades de la pareja recién casada es ponerse de acuerdo en la distribución de funciones y responsabilidades. Esto debe hacerse en un clima de consenso.

La solución está en buscar juntos respuestas a las siguientes preguntas:

- ¿Quién, si no ambos, trabajará fuera?
- ¿Quién llevará las finanzas?
- ¿Quién hará la compra, cocinará, fregará los platos?
- ¿Quién mantendrá la casa limpia y en orden?
- ¿Quién lavará y planchará la ropa?
- ¿Quién conducirá el automóvil y se encargará de su mantenimiento?
- ¿Quién hará las reparaciones de la casa?
- Si se tienen niños, ¿quién los atenderá?

Un modo sistemático de hacer esto es *identificar todas y cada una de las tareas y responsabilidades* necesarias en cada pareja y de-

continúa en la página 56

Para una buena adaptación

- Partir de la base de que los problemas matrimoniales son **normales** e incluso necesarios para el crecimiento de la pareja.
- **Ser tolerante** con las diferencias e imperfecciones del otro, no atosigando al cónyuge con una larga lista de quejas.
- Sobre los desacuerdos de importancia, **dialogar** con el cónyuge **en momentos de tranquilidad** y no en medio de la crisis.
- Tener en cuenta que es necesario, por ambas partes, **renunciar** a ciertas actividades, costumbres, hábitos, etcétera, para hacer sitio a las del otro.
- **Centrarse en lo positivo** del cónyuge tanto a la hora de pensar en él/ella, como a la hora de dialogar con él/ella (véase el cuadro *"Observa el lado positivo de tu cónyuge"* en la pág. 69).

- Ejercitar la **paciencia** en la espera de los resultados ya que las soluciones vienen a su debido tiempo, si hay buena voluntad por ambas partes.
- Mantenerse **alejado de ambas familias** de origen a la hora de resolver conflictos. Si se precisa consejo externo es mejor acudir a una persona neutral con experiencia matrimonial o a un psicólogo.

¿Cuánto participo?

«¿Quién es el responsable?» Es una de las preguntas cuya respuesta tiene que estar clara antes de empezar el proyecto matrimonial. Es por tanto necesario debatir ampliamente estas tareas y alcanzar acuerdos satisfactorios para ambos.

Instrucciones:

Utiliza dos copias de este inventario y rellénalas por separado. Una vez finalizado, compara las respuestas. Celebra los acuerdos y toma buena nota de los desacuerdos, especialmente los que difieren en más de 20 puntos. Dialoga ampliamente acerca de estos temas con tu pareja hasta alcanzar un consenso. Escucha las posturas alternativas con la máxima consideración.

ÉL %	ÁREA DE RESPONSABILIDAD	ELLA %
	EMPLEO	
	1. Participación en empleo remunerado	
	2. Importancia del empleo de él	
	3. Importancia del empleo de ella	
	TAREAS DOMÉSTICAS	
	1. Hacer la compra	
	2. Cocinar	
	3. Lavar los platos	
	4. Limpiar la casa	
	5. Ordenar la casa y los enseres	
	6. Hacer la colada	
	7. Planchar	
	8. Hacer reparaciones/ mantenimiento	
	9. Decorar la casa	
	HIJOS	
	1. Vestirlos	
	2. Darles de comer	
	3. Supervisar la tarea escolar y hablar con los maestros	
	4. Llevarlos al colegio	
	5. Comprarles ropa	
	6. Acostarlos	
	7. Jugar con ellos	
	8. Disciplinarlos/ enseñarles valores	

ÉL %	ÁREA DE RESPONSABILIDAD	ELLA %
	EXTERIOR	
	1. Sacar la basura	
	2. Cuidar el jardín	
	3. Limpieza y mantenimiento del automóvil	
	DINERO	
	1. Hacer el presupuesto	
	2. Decidir las compras de importancia	
	3. Llevar la cuenta del banco, hacer los pagos, controlar las tarjetas de crédito	
	VARIOS	
	1. Planificación de vacaciones y actividades en familia/pareja	
	2. Atención/ cuidado de los padres	
	3. Relaciones con parientes	

1

viene de la página 54

batirlas hasta alcanzar repartos con los que ambos estén razonablemente contentos. El cuadro *"¿Cuánto participo?"*, de la página anterior, ofrece un inventario de responsabilidades que puede resultar útil para iniciar el diálogo.

Este problema se simplifica considerablemente cuando solo uno de los casados trabaja fuera de casa. A veces, y especialmente cuando se tienen hijos pequeños, no es rentable mantener dos empleos por los costes adicionales que esto acarrea (véase el cuadro *"Trabajar fuera de casa"*, en la página 88).

En cualquier caso, para decidir las responsabilidades de los integrantes de la pareja, se necesita considerar los siguientes principios generales:

1. **Entender la posición de la mujer.** Además de identificar las responsabilidades de cada uno, la pareja necesita tener una idea clara de dónde radica la autoridad y la toma de decisiones. En la mayoría de las sociedades, la mujer ha estado tradicionalmente relegada a un segundo plano. Hoy, ha conseguido incorporarse con acierto a la toma de decisiones (ver cuadro *"Cuánto 'manda' la mujer en la pareja"* en la pág. 57).

2. **Entender el significado de ser cabeza.** Ejercer el liderazgo significa tomar las decisiones que beneficien a ambos, no las que "a mí me gustan". Este es el modo más seguro de ejercer la máxima responsabilidad en el matrimonio. El líder es el primero..., el primero en servir.

3. **Llegar a acuerdos estrictamente privados.** El consenso logrado por los recién casados debe estar basado en un criterio personal. La pareja debe tomar sus acuerdos como ellos quieran y no necesariamente como sea la costumbre entre los familiares, amigos o vecinos.

4. **Mantener una actitud de apoyo, fundada en el amor.** Cualquier distribución de tareas tendrá sus deficiencias. Por ello se requiere una buena actitud en la pareja para apoyar al otro. La responsabilidad de las tareas domésticas puede ser desbordante, especialmente cuando hay hijos pequeños. Apoyarse mutuamente puede ser necesario.

5. **Intentar ser flexibles.** Rotar las tareas domésticas y otras responsabilidades puede ser no solo útil, sino también divertido, lo cual nos dará una mejor perspectiva de lo que hace el otro. Hay hombres que no pueden quedarse solos porque no saben cocinar, o mujeres que sufren un ataque de nervios si se les pincha una rueda...

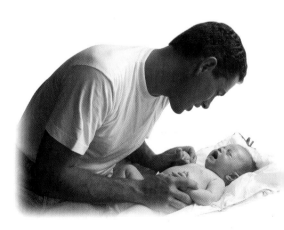

¿CUÁNTO "MANDA" LA MUJER EN LA PAREJA?

1. MUJER OBJETO	Es la esclava del marido. Está siempre disponible para atender los deseos y demandas de su esposo. Este tipo de relación es común en muchos países y culturas.
2. MUJER AYUDANTE	La superioridad del hombre es indiscutible. Pero cuenta con la mujer como ayudante, como la que ejecuta sus deseos. Cual si se tratase de una secretaria, incorpora su estilo en las tareas, pero la última palabra siempre la tiene el jefe.
3. MUJER DOMINANTE	Controla, dirige y gobierna todos los aspectos del matrimonio, la opinión del marido apenas se tiene en cuenta.
4. MUJER ADJUNTA	Cuenta con un rango respetable en la toma de decisiones. Marido y mujer se consultan mutuamente y negocian. Sin embargo, cuando no hay acuerdo, el criterio del esposo prevalece.
5. IGUALDAD CON EL HOMBRE	No existe diferencia en rango entre el hombre y mujer para tomar decisiones. Las posturas se debaten y se alcanza una decisión consensuada. Cuando no hay acuerdo, la última decisión puede dejarse en manos de ella o en manos de él.

Test para ella: *Marca el punto donde creas que te sitúas en vuestro hogar.*

```
 0           1           2           3           4           5
Mujer objeto ──────────────────────────────────────▶ Igualdad con el hombre
```

Test para él: *Marca el punto donde creas que se sitúa tu mujer en vuestro hogar.*

```
 0           1           2           3           4           5
Mujer objeto ──────────────────────────────────────▶ Igualdad con el hombre
```

En este test el papel de la mujer se situaría en algún punto de una escala como la aquí presentada. Es importante que en el matrimonio ambas partes tengan una idea aproximada de dónde se sitúa la mujer. Es por ello útil cotejar ambos resultados.

La sexualidad en esta etapa

La sexualidad es un **componente vital** para el éxito de la pareja. Las parejas más felices...

- están satisfechas y realizadas con su vida sexual
- aseguran que su compañero/a utiliza el sexo de forma justa
- confían en la fidelidad de su pareja
- declaran que el interés sexual del otro es aceptable

En cambio, la mayoría de las parejas con serios problemas de convivencia no encuentran satisfacción sexual en la relación.

Es pues de suma importancia comenzar la vida de casados con una buena comprensión de lo que es la sexualidad y lo que supone para la felicidad de la pareja.

El primer intento científico de estudiar el acto sexual fue el de **Masters y Johnson**. Sus investigaciones, aunque ya con varias décadas de antigüedad, están vigentes en muchos aspectos. Estos sexólogos propusieron **cuatro fases típicas** en el desarrollo de la **experiencia sexual completa**, tanto para el varón como para la mujer (ver Masters, W. H. y Johnson,

V. E. 1966). El cuadro de la doble página 60-61, describe estas fases del acto sexual.

Consejos para una buena sexualidad

1. Adaptándose a las necesidades propias del otro

El **conocimiento** de las grandes **diferencias sexuales** entre hombres y mujeres es fundamental para que ambos comprendan mejor las necesidades del otro. Un hombre puede venir cansado del trabajo, ver la televisión, leer el periódico, no mediar palabra con su mujer y estar listo para hacer el amor a la hora de acostarse. El mecanismo que precede al acto sexual en la mujer es muy diferente. Ella necesita haber tenido un acercamiento progresivo y emocional (no solo físico) hacia el varón.

2. Dialogando abiertamente sobre el tema

Bromear sobre aspectos de la sexualidad se hace a menudo, pero **hablar de este tema en**

Fisiología de los órganos genitales del hombre y de la mujer

ÓRGANOS GENITALES MASCULINOS

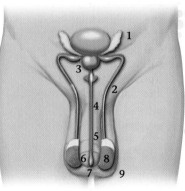

1. vesículas seminales
2. canales deferentes
3. próstata
4. uretra
5. pene
6. glande
7. meato uretral
8. testículo
9. escroto

ÓRGANOS GENITALES FEMENINOS

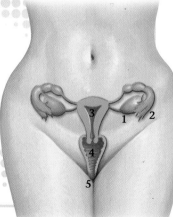

1. ovario
2. trompa de Falopio
3. útero o matriz
4. vagina
5. labios mayores, menores y clítoris.

Mitos en la sexualidad

Todavía hoy se perpetúan ideas erróneas incompatibles con estudios sexológicos serios. He aquí algunos ejemplos:

- **"El coito en la vida matrimonial debe hacerse cuatro o cinco veces por semana."** Los estudios demuestran que la calidad es mucho más importante que la cantidad. Las parejas que se encuentren sexualmente realizadas con un encuentro sexual a la semana o incluso al mes no deben considerarse sexualmente pobres, en tanto que haya acuerdo y satisfacción en ambas partes.
- **"A mayor tamaño del órgano viril, mayor capacidad y satisfacción sexuales."** Esta afirmación, aunque muy extendida, no tiene base científica.
- **"El auténtico orgasmo femenino es simultáneo con el del hombre y se produce solamente por penetración."** Se trata de un mito antiguo hoy descartado por múltiples datos empíricos. La mayoría de las mujeres (60-80%) llegan al orgasmo por la estimulación directa del clítoris y el resto lo hacen por estimulación y penetración a la vez o solamente por penetración.

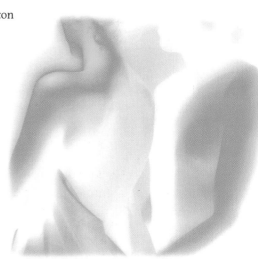

serio no es frecuente ni siquiera en el seno del matrimonio. La mejor manera de conocer las actitudes y preferencias del compañero o compañera es hablar de ello. Es conveniente escoger un momento idóneo y un lugar romántico para el diálogo. Evitar culpar o exigir, y utilizar mensajes en primera persona, en lugar de recriminar al cónyuge. Sugerimos algunas preguntas para iniciar el diálogo:

- ¿Qué puedo hacer para satisfacerte en nuestros encuentros sexuales?
- ¿Qué puedes hacer para satisfacerme en nuestros encuentros sexuales?
- ¿Qué siento cuando respondes a mis deseos sexuales? ¿Y cuando no?
- ¿Cuán importante es para mí la preparación para el acto sexual?
- ¿Con qué frecuencia nos gustaría hacer el amor?
- ¿En qué momento del acto sexual me siento más cerca de ti?

3. Preparando el acto sexual

Todos los sexólogos están de acuerdo en que a **mejor preparación** del acto sexual, **mayor satisfacción** para ambos. Esta preparación significa trato amable y cariñoso con palabras y gestos de mutua admiración, preparación del ambiente, todo ello antes de comenzar el contacto físico.

4. Haciendo del encuentro sexual algo más que una cópula

Dar tiempo a los **juegos preliminares** (besos y caricias) y no acelerar el momento del coito. La mayoría de los expertos hablan de **al menos veinte minutos** de actividades sensuales (por ejemplo, caricias, besos, masajes...) antes de llegar al coito. Y esto debe prolongarse en la medida en que ambos disfruten de la situación.

acto sexual

FASES EN EL ACTO SEXUAL

FASE	VARÓN
1. Fase de excitación — La presencia de estímulos externos (besos, caricias...) o internos (el recuerdo de un encuentro sexual previo...) dan lugar a una serie de variaciones físicas y psicológicas que desencadenan el proceso de la excitación sexual.	En el varón los mensajes de excitación más poderosos son de naturaleza visual. Por ello resulta fácil excitar a un hombre con imágenes o gestos de naturaleza erótica. También los estímulos táctiles y los recuerdos producen esta excitación aunque con menor fuerza inicial. El signo obvio de excitación es la erección que se produce por el aflujo de sangre en todas las cavidades musculares del pene.
2. Fase de meseta — El proceso de excitación asciende de manera continua, llegando a esta etapa de mantenimiento de la misma. La fase puede durar desde unos minutos hasta una hora. El pulso, la tensión y la respiración aumentan en ambos.	En el varón el pene alcanza el tamaño máximo y el glande adquiere un color más vivo y brillante, debido a la circulación sanguínea y a la tensión de la piel. Con frecuencia se produce una pequeña segregación de fluido seminal que contiene espermatozoos capaces de producir la fecundación si alcanzan al óvulo.
3. Fase orgásmica — El orgasmo es la culminación del placer sexual que ocurre tanto en el hombre como en la mujer por contracciones musculares que proporcionan una sensación placentera muy intensa.	En el varón el orgasmo viene con los movimientos de fricción contra las paredes del conducto vaginal. Al acercarse el clímax, el esfínter de la vejiga de la orina cierra completamente el conducto y los músculos en torno a la base del pene producen contracciones que alcanzan el pene, la próstata y las vesículas seminales. Estas contracciones arrojan el semen por el conducto uretral, a la vez que producen placer durante unos ocho o diez segundos. El semen es la sustancia que contiene cientos de millones de espermatozoides.
4. Fase de resolución — Consiste en un periodo de relajación física y psicológica después del clímax alcanzado en el orgasmo. Los órganos sexuales del hombre y de la mujer vuelven a su tamaño y estado fláccido habituales. Como en las fases precedentes, el hombre cuenta con mayor rapidez de resolución. En promedio dura un par de minutos, mientras que la mujer necesita 10 o 15 minutos (o más) para concluir con esta etapa.	

MUJER

En la mujer los mensajes más excitantes son de naturaleza táctil y el tiempo para conseguir la excitación es siempre más prolongado que el del hombre. La mujer comienza y mantiene esta fase por medio de abrazos, besos y múltiples caricias. La manifestación externa de excitación en la mujer es la lubrificación vaginal que acontece en preparación para la penetración, aunque ello no indica que ella desee la penetración inmediatamente.

En la mujer el conducto vaginal alcanza la máxima dimensión en preparación para el coito y toma una forma alveolar para alojar el esperma. Además, en torno a los labios menores, las glándulas de Bartholin segregan una sustancia mucosa que ayudará a la penetración y que, por su naturaleza alcalina, servirá para prolongar la vida de los espermatozoides, que pueden vivir en ese medio unas diez horas. El clítoris alcanza el máximo tamaño y sensibilidad y los pezones experimentan una erección y tersura notables.

En la mujer el orgasmo ocurre en la mayoría de los casos por estimulación directa del clítoris y en una proporción pequeña por fricción en la vagina. El orgasmo femenino va también asociado a las contracciones musculares del útero y músculos adyacentes que proporcionan una sensación de placer inmenso y alcanza no solo la zona genital, sino todo el cuerpo.

IMPLICACIONES PRÁCTICAS

El hombre, al contar con una preferencia visual, necesita ver el cuerpo desnudo de la mujer. Por su parte, la mujer, con su preferencia táctil, necesita que él la acaricie.

Las diferencias sexuales entre varón y mujer son marcadas y él debe aceptar que la mujer necesita más tiempo que el hombre para alcanzar la excitación máxima. Por tanto, es necesario que el varón aprenda a desacelerar su ímpetu y dar tiempo a la excitación de ella.

Es conveniente prolongar esta etapa para goce de ambos, aunque el hombre tiende a necesitar menos tiempo que la mujer para pasar a la siguiente. Retardar la eyaculación es importante para conseguir la prolongación. Por su parte, la mujer necesita que él acaricie directamente el clítoris o su capuchón para mantener el estado de goce.

Después de suficientes juegos y caricias, ambos están listos para la penetración. Por ello, esta ocurre hacia el final de la fase de meseta.

No es realista proponerse como fin deseable de la sexualidad el orgasmo simultáneo, debido a las propias barreras fisiológicas. La vagina, de hecho, cuenta con muy pocas terminales nerviosas conectadas con los centros cerebrales del placer, mientras que el clítoris contiene una proporción muy alta de ellas. Como, además, el pene no alcanza el clítoris durante el coito, hemos de concluir que el sincronismo orgásmico es poco habitual.

Esta diferencia entre ambos sexos indica que la actitud del hombre no debería ser la de ponerse a dormir u ocuparse de otras tareas rutinarias. En esta fase de calma, puede hablarse del propio acto sexual vivido y de los detalles más placenteros. Es el momento para permanecer juntos y charlar de cosas agradables, lo cual produce buen estado de ánimo y un mayor acercamiento y aprecio mutuos.

El arte de comunicarse

Nadie duda de que la comunicación ocupa **el centro de las relaciones interpersonales.** En la pareja, la comunicación es el modo de intercambiar mensajes que proporcionan satisfacción y felicidad o, por el contrario, causan daño y resentimiento. El proceso es lo suficientemente **complejo** como para producir errores entre el mensaje que se envía y el que se recibe. He aquí algunos **aspectos** que ponen de manifiesto la complejidad de la comunicación:

1. El mensaje no es solo lo que se dice

Todo mensaje hablado cuenta con tres componentes:

- El **contenido** (las palabras que literalmente se dicen).
- El **tono** en que se dice (por ejemplo el volumen, la velocidad, o el ritmo de la voz).

Diferencias al hablar

Mujer	Hombre
1. Relata los hechos con dramatismo, usando tonos de voz, pausas y expresiones variadas.	1. Informa los hechos de manera concisa, sin entrar en detalles y sin utilizar recursos dramáticos.
2. Habla más rápidamente que el hombre.	2. Habla más lentamente que la mujer.
3. Prefiere hablar de personas, relaciones, y sentimientos que experimenta la gente.	3. Prefiere hablar de cosas y de sucesos, más que de personas y sus sentimientos.
4. Suele estar dominada por el hemisferio derecho: el lenguaje, los sentimientos, las relaciones, el lado humano de la vida.	4. Tiende a estar dominado por el hemisferio izquierdo: lo lógico, lo analítico, lo competitivo, el lado productivo de la vida.
5. Tiende a permanecer en el tema de la conversación.	5. Cambia el tema de la conversación con facilidad.
6. Usa con frecuencia los términos plurales (nuestra casa, nuestros hijos).	6. Tiende al uso de los términos singulares (mi casa, mis hijos).
7. Con cierta frecuencia revela al esposo sus propias experiencias, emociones y sentimientos.	7. Tiende a la conversación objetiva y evita mostrar sus experiencias, emociones y sentimientos.

Diferencias al escuchar

Mujer	Hombre
1. Uso abundante de indicadores de atención: asentir con la cabeza, sonreír, decir «¡mmm!», «¡ajá!», «¡sí!», «¡claro!»	1. Escaso uso de indicadores de atención: asentir con la cabeza, sonreír, decir «¡mmm!», «¡ajá!», «¡sí!», «¡claro!»
2. Contacto visual constante.	2. Miradas ocasionales a los ojos del otro.
3. Interpreta los indicadores de atención como señal de interés.	3. Interpreta los indicadores de atención como señal de estar de acuerdo.
4. Espera a las pausas para preguntar.	4. Tiende a interrumpir para preguntar.
5. Deja a un lado cualquier actividad para escuchar.	5. A menudo escucha mientras lleva a cabo otra tarea.

- Los **componentes no verbales** (por ejemplo, la expresión facial, los movimientos, la distancia o la propia conducta general que acompaña al mensaje).

Todos los estudios coinciden en el orden de importancia que estos tres componentes tienen en la comunicación en la pareja.

Por ejemplo: Margarita está seria y taciturna (cosa fuera de lo normal en ella). Cuando su marido le pregunta: «¿Que te ocurre?», ella contesta: «Nada.» Está claro que el contenido de sus palabras no corresponde a la realidad. Por tanto, hemos de atender a los otros indicadores para recabar información veraz.

2. Todo mensaje usa un código

Quien envía el mensaje pone el contenido de su pensamiento en un código. Y el que lo recibe ha de interpretarlo utilizando el mismo código.

Cuando Armando le dice a su esposa: «Venga, muchacha, no lo pienses más»,

ella puede malinterpretar el mensaje, porque la palabra 'muchacha' la entiende referida a una niña o adolescente y piensa que la está llamando "inmadura". Mientras que en la región donde Armando se crió, ese término se usa de forma cariñosa para los adultos.

3. Hay mensajes con un fuerte componente emocional

El contenido del mensaje casi nunca refleja las emociones. Hemos de observar los componentes no verbales para averiguar dichas emociones.

Cuando Luisa habla de sus padres, se enternece y a veces se le saltan las lágrimas. Para Luisa sus padres son muy importantes y esas lágrimas significan que está orgullosa de ellos. Sin embargo, su esposo puede pensar que hay algún problema o trauma infantil en relación con los padres de ella.

4. El mensaje lleva consigo una intencionalidad

Con la excepción de los mensajes estereotipados (*«Hola, ¿qué tal?»*), la mayoría de los contenidos tienen una intención específica. Y esta no es solo para el emisor, sino también para el receptor que ha de interpretar el mensaje.

Cuando María llega del trabajo a casa, le dice a su marido: «Estoy cansada.» Y no es que esté excesivamente cansada, sino que quiere hacer una llamada de atención, para que su marido muestre interés y le dé conversación. Sin embargo él, con distintas intenciones, hace una interpretación diferente: «Ya me está anunciando que no quiere hacer el amor esta noche.»

5. La interpretación depende de la calidad de la relación

Cuando la relación es óptima, no hay errores en la comunicación, pero si la relación se va deteriorando, hasta las palabras más dulces se interpretarán mal.

Así, cuando la relación es positiva, no hay problema alguno si ella afirma:*«Raúl, ¡no seas maniático y perfeccionista!»* Ahora bien, si la relación viene resquebrajándose y él llega con un ramo de flores haciendo zalamerías, bien podría preguntarse ella: *«¿Y a qué viene esto? ¿Qué querrá ahora?»*

David Olson y un equipo de investigadores de la Universidad de Minnesota llevaron a cabo un estudio (Olson, D. H., Fye, S. y Olson, A., 1999) en el que participaron más de veinte mil parejas. Por los datos recabados, identificaron las parejas "felices" y las que por sus dificultades podían considerarse "inadaptadas". La mayoría de las parejas "felices" estaban de acuerdo con las siguientes frases:

• «Estoy satisfecha/o con la forma en que me habla mi marido/mujer.»

• «Mi marido/mujer no hace comentarios humillantes sobre mi persona.»

• «No tengo problemas en pedir a mi marido/mujer lo que deseo.»

• «Me resulta sencillo expresar a mi marido/mujer mis verdaderos sentimientos.»

Por su parte, tan solo el 10-12% de las parejas "inadaptadas" contestaron afirmativamente a estos pensamientos. La conclusión apunta a la *clarísima relación entre la comunicación y el éxito en la pareja.*

Otros estudios similares han puesto de manifiesto que las parejas de éxito...

• Se hablan durante más tiempo que las parejas con problemas.

• Saben mejor escuchar y discernir los sentimientos y las emociones del otro.

• Hablan no solo de los hijos y del trabajo, sino de una amplia gama de temas.

• Mantienen los canales de comunicación abiertos, permitiendo así un diálogo constante.

• Hacen un buen uso de la comunicación no verbal.

continúa en la página 66

DIFERENCIAS A TENER EN CUENTA EN LA COMUNICACIÓN

Existen tres dimensiones más en la comunicación donde existen marcadas **diferencias entre hombres y mujeres**.

1. **Intimidad** frente a **independencia.** En situaciones de comunicación, la mujer tiende a buscar intimidad, mientras que el hombre persigue la independencia. Por eso se observa que la mujer comparte sus sentimientos y emociones en un afán de sentirse cerca de él e invitarle a que él haga lo propio, aunque con frecuencia el hombre no responde en esa línea.

2. **Conexión** frente a **competencia.** La mujer desea conectar con el hombre, desea ponerse a un nivel en el que ambos se comprendan y se acepten. Por su parte, el hombre considera que las conversaciones son para competir con el oponente: O gano o pierdo, o domino la conversación o la domina ella...

3. **Intercambio** frente a la **acción.** La mujer ve los momentos de comunicación como una oportunidad de dar y recibir noticias, ideas, sentimientos, etcétera. Intercambiar mensajes con la persona amada es para ella una gran satisfacción. Sin embargo, el hombre tiende a no ver mucho sentido en dicha actividad. La considera hablar por hablar. Lo que realmente importa es hacer algo. Quizá por eso, cuando las mujeres se reúnen acaban sentándose y hablando varias horas. Mientras que cuando los hombres se juntan es para hacer algo juntos (jugar a la pelota o echar una partida de cartas).

Para llevar a cabo una comunicación más eficaz entre hombres y mujeres, hemos de tener en cuenta estas diferencias básicas. Su solo conocimiento nos hará comprender los errores en la comunicación entre hombres y mujeres y prevenir los conflictos. Sin embargo, es importante no utilizar estas diferencias para estereotipar a un sexo o al otro. El lenguaje tiene sus propios sesgos en este sentido, y hemos de ser sensibles en el uso de la palabra, especialmente cuando resulta humillante para uno u otro género.

viene de la página 64

Uno de los secretos de una **buena comunicación** es mantener **conversaciones a todos los niveles de profundidad.** John Powell (Powell, J., 1974) estableció **cinco niveles** de comunicación interpersonal (véase el cuadro de la página 67). Cuando un matrimonio utiliza casi exclusivamente los tipos más someros de comunicación (niveles 1 y 2), la relación puede estar en peligro. Es, pues, necesario apartar momentos en los que esa comunicación de alto nivel sea posible.

En la pareja, al igual que otros ámbitos de las relaciones interpersonales, **escuchar es una tarea difícil.** Las personas tienen una marcada tendencia a centrarse en sí mismos y no en el otro. Por ello, el arte de escuchar ha de aprenderse a conciencia, con práctica y esperando resultados lentos.

La unidad *"Para escuchar mejor"*, en la página 68, ofrece consejos útiles para mejorar la capacidad de atención y comprensión de los integrantes de la pareja.

Un buen matrimonio constituye el marco ideal para mantener la salud mental. Todos necesitamos satisfacer nuestras necesidades de ser aceptados, amados y comprendidos. Todos necesitamos confiar detalles íntimos, dudas, inseguridades e inclinaciones. Esto se llama **"desvelar el yo"** y solo acontece en un ambiente de extrema intimidad. Y la pareja es precisamente el medio ideal para satisfacer esta necesidad.

En este medio encontramos a alguien que está dispuesto a escuchar, a comprender, a respetar la confidencialidad y a seguir amándonos. Y cuando este intercambio es mutuo, se profundizan la amistad y el compromiso, y la relación prospera. Así, la relación conyugal se constituye en un excelente **entorno psicoterapéutico** en el que los cónyuges previenen el desequilibrio emocional.

Pero cuando la pareja no es capaz de satisfacer esta necesidad, uno de los miembros (o a veces los dos) sufre la carencia. Y así busca su satisfacción fuera del matrimonio; por ejemplo, la esposa confía su sentir a una amiga íntima con quien desvela su yo. O el hombre se siente fascinado por otra mujer que parece escucharle con más interés que su propia esposa. Y cuando esta carencia se prolonga dentro del matrimonio, la crisis sobreviene y se acaba en la ruptura.

Es, por tanto, esencial que toda pareja haga esfuerzos para mantener esta área bien atendida y prevenir así la crisis conyugal.

Cualquier evaluación cuidadosa en las conversaciones, mostrará **diferencias entre hombres y mujeres.** Aun sin escuchar lo que dicen, se puede observar que la mujer usa más comunicación no verbal que el hombre. La mujer se ríe más, se mueve más, muestra más gestos faciales y sonidos («¡mmmm!», «¡aaaaah!») que el hombre.

Y no solo se dan estas diferencias cuando se trata de hablar, sino también a la hora de escuchar. En la pareja, ignorar estas diferencias hará que el varón interprete el proceso de comunicación con su propio patrón y la mujer con el suyo. Y esto puede ocasionar conflictos. Los cuadros de las páginas 62 y 63 muestran una síntesis de las diferencias típicas entre hombres y mujeres al escuchar y al hablar.

Hombres y mujeres tienden a juzgar al interlocutor de acuerdo con sus estilos particulares de comunicación.

- Si, por ejemplo, una mujer no recibe claros indicadores de atención cuando está hablando con su marido de algo importante, concluirá que él no está prestando atención.

- Y si, por ejemplo, un hombre recibe esos indicadores por parte de su mujer, interpretará que ella está de acuerdo en todo lo que él dice.

comunicación

NIVELES DE COMUNICACIÓN

1. **Conversación estereotipada**. Es el nivel más superficial. Los miembros de la pareja utilizan frases hechas («Hola», «¿Cómo va todo?» «Pues bien») que no encierran mucho significado real.

2. **Información de datos impersonales.** Incluye contenidos de información concreta, generalmente acerca de aspectos objetivos o de cosas que otros dicen.

    Ella: ¿Has visto? Han empezado a construir una casa al final de la calle.

    Él: ¿Ah, sí? Pues no me había dado cuenta.

    Ella: ¡Sí! Y los constructores son los mismos que hicieron las otras dos casas de al lado.

    Él: Pues las viviendas son de calidad.

3. **Ideas y juicios personales.** Aquí el emisor informa de los hechos y al mismo tiempo incorpora opiniones y evaluaciones personales.

    Ella: ¿Te has dado cuenta de la cantidad de gente que juega al bingo?

    Él: ¡Pues sí! No sé si lo hacen a sabiendas, pero es una manera tonta de perder dinero. Además, el juego crea hábito. Creo que no piensan.

    Ella: Bueno, Enrique, no exageres. Habrá quienes jueguen por diversión y no por vicio.

    Él: Puede ser… pero a mí me parece una actividad sin sentido alguno.

4. **Sentimientos y emociones personales.** El emisor describe lo que hay dentro de él. Descubre al

otro su intimidad. No se hace esto todos los días, ni ante cualquier persona. Se requiere un contexto y un interlocutor adecuados. Este nivel de comunicación es ideal para satisfacer las necesidades emocionales mutuas y para nutrir la calidad de relación.

Ella: ¿Qué te pasa? Te noto algo raro.

Él: Nada, estoy cansado del trabajo.

Ella: No es solo eso. Sé que tienes una preocupación seria. Creí que estabas contento con el nuevo empleo...

Él: Precisamente por eso... Veo que otros no tienen problemas en sacar el trabajo y yo... no soy capaz de hacerlo. Luego me invade un sentimiento de inferioridad. Quisiera preguntarles, pero tengo miedo al ridículo... Te lo voy a confesar, Aurora, el problema es que mentí. En la entrevista les dije que conocía esos programas informáticos y no es verdad. Y ahora tengo una fuerte sensación de culpa.

5. **Compromiso personal.** Es el nivel de comunicación más profundo. Conlleva una apertura total y una aceptación del otro. No solamente la comunicación es profunda, sino que además incluye un compromiso de aceptación del otro.

    Ella: No sé como te lo voy a decir pero algo anda mal entre nosotros.

    Él: ¿Qué va mal?

    Ella: Verás... [nerviosa] Cuando terminamos de cenar, vas directo a la televisión y te pones a ver lo que sea…, parece que yo ya no cuento para ti. Me siento rechazada. Quisiera charlar contigo un rato, hablar de cómo han ido las cosas… Yo estoy con los niños todo el día.

    Él: A decir verdad, no me había dado cuenta. Me alegro de que me lo menciones, lo hago por puro hábito. Es bueno que me lo digas. ¿Hay otras cosas que te molestan? Podemos hablar de ello y tratar de encontrar soluciones.

Para escuchar mejor

1. **Usa indicadores de la atención.** No solo es necesario atender sino también demostrar que se está atendiendo.

   Asentir con la cabeza, mirar a la cara, decir «sí», «mmm», «claro», «entiendo», tener una postura que muestre atención e interés.

2. **No te apresures a presentar tu postura.** Los buenos hábitos comunicativos demandan no mantener competición entre "mi" postura y "tu" postura. En la pareja, la comunicación debe ser para aprender más de los sentimientos respectivos y no para ganar o perder.

   Cuando la esposa está tratando de expresar que el marido no dedica suficiente tiempo a los niños, sería un error que él dijera inmediatamente: «Pero el domingo pasado los llevé al fútbol.» Esto, aunque sea verdad, no ayuda a aliviar el sentir de la esposa, y hasta puede llevar el encuentro a un enfrentamiento.

3. **Lee los mensajes no verbales.** Como ya se ha indicado, el contenido verbal de la comunicación en pareja es una parte mínima de la comunicación total.

   María del Mar se compró un vestido nuevo para el veraneo. «¿Qué, te gusta el vestido?» «Sí, es bonito» –replica Luis–, «pero hay que hacer las maletas.» Al día siguiente, tuvieron una gran disputa ocasionada por un detalle sin importancia. Después de conversar mucho, salió la verdadera razón. Luis no había sabido leer el mensaje de María del Mar que demandaba a Luis una mayor atención.

4. **Asegúrate de que te está entendiendo bien el mensaje.** Uno de los modos más eficaces de hacer esto es parafrasear ciertas porciones clave del mensaje, a fin de confirmar que se está entendiendo.

David comparte con su mujer algo que le ha pasado en el trabajo. Después de pedirle que elaborara un informe, el jefe le ha recibido, ha mirado la carpeta con desdén y le ha dicho: «¿Para qué tantas hojas? ¡Esto se podía haber explicado en una sola página!» «Así que –añade David– estoy desanimado, cansado, rabioso y con ganas de dejar ese empleo.» La intervención acertada de su mujer es: «Veo que este incidente te ha afectado, te ha dejado sin energía y quieres ahora abandonarlo todo. Cuéntame más detalles.»

5. **No cierres el paso al interlocutor.** Un error supino del que escucha es adelantarse a dar su opinión u ofrecer consejo de inmediato.

   En el ejemplo anterior, la esposa de David habría tomado la dirección equivocada diciendo: «De ninguna manera pienses en dejar el trabajo. Antes de abandonar un empleo fijo has de pensártelo mucho y sobre todo haber encontrado otro puesto...» Con este mensaje, la conversación se tornaría en una disputa sobre si deja o no deja el empleo. Pero en realidad, David no quiere dejar el trabajo. Lo que necesita es recuperarse del desengaño, con la atención y comprensión de su esposa.

6. **No te dejes llevar por el instinto de réplica.** Este mecanismo es típico en las conversaciones que tienen aire de disputa o pelea verbal. Consiste en concentrar la atención en preparar la respuesta, en vez de escuchar.

   Martín recibe la queja de su mujer, pues siempre que limpia el lavabo, se lo encuen-

Observa el lado positivo de tu cónyuge

Los recién casados suelen descubrir en el otro pequeñas cosas que no agradan. La mayoría de estas cosas se desvanecen cuando se toma una actitud positiva. Y el tiempo se encarga de producir un ajuste de esas diferencias. En general, es mejor fijarse en las virtudes y no en los defectos. De hecho es posible contar con una actitud positiva de forma tal que pueda uno ver lo bueno en lo que otros consideran inconveniente. He aquí algunos ejemplos para pensar de manera más favorable.

Cuando pienses que él es...
- serio y taciturno
- maniático
- obseso con el trabajo
- tacaño

Considéralo...
- formal y reflexivo
- precavido
- diligente
- económico

Cuando pienses que ella es...
- charlatana
- débil
- lenta

Considérala...
- expresiva y buena comunicadora
- sensible y perceptiva
- cauta y delicada

tra sucio con la barba del afeitado. Martín, en lugar de escuchar, está pensando en las veces que él mismo lo limpia después de usarlo y está preparando su ofensiva recordando cuando ella le cambia de sitio las herramientas.

7. **Usa la imaginación**. Las preocupaciones personales pueden fácilmente dominar el pensamiento del que escucha y distraerse por momentos. Una de las maneras más útiles de prevenir esta fuga mental consiste en dibujar mentalmente la situación que se está relatando.

Cuando la esposa cuenta a su marido el problema que está experimentando con su compañera de trabajo, este se imagina la situación referida: su mujer, la compañera, el jefe, todos en medio de la oficina en su animada conversación con los papeles en la mano, etcétera. Esta imagen visual mantiene la atención del esposo y facilita la comprensión del problema.

La economía familiar

El presupuesto...

- **... debe ser un proyecto conjunto.** Las cifras han de reflejar el acuerdo mutuo, de marido y mujer.

- **... ha de incluir una sección de gastos fijos.** Los gastos fijos (comida, alquiler o hipoteca, recibos, etc.) son intocables y los fondos designados nunca deben usarse para fines distintos.

- **... debe tener un propósito, una filosofía que lo guíe.** Si lo importante es el trabajo, tendrán prioridad los gastos relacionados con el trabajo (cursillos, herramientas, equipo...), o si es la vivienda, los gastos correspondientes (hipoteca, reparaciones...). A estos gastos preferentes siguen otras partidas secundarias que pueden reducirse cuando sea necesario.

- **... debe elaborarse teniendo en cuenta gastos excepcionales.** Hay gastos que surgen una vez o dos al año. En estos casos, es necesario separar regularmente cantidades mensuales en preparación para dicho pago.

- **... debe incluir una cantidad para imprevistos cada mes.**

- **... ha de respetarse en la medida de lo posible.** Al hacer constantes excepciones invalidamos el propósito del presupuesto, aunque debe permitirse cierta flexibilidad.

Un **presupuesto realista** prevendrá el exceso en gastos accesorios que pueden postergarse para cuando haya fondos disponibles.

Lo que con el tiempo tiende a transformarse en una rutina sencilla y pacífica, suele ser en los primeros años uno de los puntos conflictivos del matrimonio. En parte, por la falta de costumbre en la nueva vida de casados, y en parte porque los ingresos de los recién casados tienden a ser limitados.

Es, por tanto, elemental iniciar la vida matrimonial practicando **buenos hábitos en la administración** de los recursos. Quizá el procedimiento más eficaz es hacer un presupuesto que controle la economía familiar para el mes o la semana.

Realizar un presupuesto puede resultar una pérdida de tiempo si no se lleva a cabo de acuerdo a ciertos principios básicos. Presentamos a continuación los más importantes:

SEÑALES DE ALARMA EN EL GASTO FAMILIAR

Hay personas que, aun con buenos ingresos, se sitúan en una posición crítica por el uso y abuso del crédito (tarjetas, planes de pago aplazado, préstamos, etc.). A continuación se detallan ciertos indicadores de alerta. Si el lector contesta afirmativamente a uno o más de los puntos siguientes, necesita ponerse en guardia.

Corres riesgos...

1. Cuando gastas el 15% o más de tu salario neto para pagar deudas (exceptuando la hipoteca de la vivienda).
2. Cuando utilizas el crédito para adquirir bienes que podrían comprarse en los próximos meses sin necesidad de pagar intereses.
3. Cuando tienes que usar crédito para adquirir bienes esenciales (por ejemplo, la cesta de la compra).
4. Cuando utilizas dinero prestado para pagar deudas anteriores.
5. Cuando tienes que pensar a cuál de los deudores pagarás primero.
6. Cuando en un momento dado te resulta difícil estimar con facilidad lo que debes.
7. Cuando necesitas pedir dinero prestado a familiares, amigos, o vecinos.
8. Cuando la pérdida del empleo te produciría la bancarrota inmediata.

Es preciso hacer mención del *riesgo* que conlleva el uso de **préstamos y créditos**. Los plazos van cargados de intereses y la capacidad adquisitiva de quienes los utilizan se reduce inmediatamente. Dicho de otro modo: recurrir a préstamos y créditos, empobrece.

Hay casos en los que el crédito está de sobra justificado. Por ejemplo, comprar una vivienda es una inversión sabia en la que, si bien cuesta intereses, los beneficios (desgravación fiscal, revalorización de la inversión) compensan los gastos. También está justificado comprar un vehículo a crédito, especialmente si se utiliza como instrumento de trabajo, o un préstamo para el lanzamiento de un negocio seguro.

Sin embargo, hay personas que utilizan el crédito siempre y cuando no tienen efectivo a mano. Pronto aparecen signos de alarma, como los que se enumeran en el cuadro de esta misma página.

Y ojo con las tarjetas de débito o de crédito. Hay que llevar un control de su uso si no queremos encontrarnos con sorpresas desagradables a fin de mes.

Construir relaciones sólidas

El tipo de relación que mantiene la pareja está ligado al concepto de uno mismo

John Crosby propuso tres tipos básicos de relación (Crosby, J. F., 1979):

Relación dependiente

La identidad conjunta de la pareja es excesivamente pronunciada. Sus integrantes mantienen una relación en la que la ausencia de uno hace al otro prácticamente inútil. El yo de uno está fundido en el del otro. Crosby lo representa con la letra **A** mayúscula.

- La relación dependiente conlleva una autoestima pobre en uno de los miembros o, a veces, en ambos, pudiendo sufrir la pareja trastornos importantes.

Relación interdependiente

La identidad conjunta está equilibrada. Los miembros de la pareja se influyen y apoyan mutuamente y experimentan una convivencia satisfactoria pero mantienen su propio yo.

La ausencia de uno hace resentirse al otro, pero finalmente se recupera. Se representa con la **M** mayúscula.

- En la relación interdependiente, la autoestima se halla fortalecida en los dos y da lugar a una relación gratificante.

Relación independiente

La identidad conjunta no existe. Los integrantes se mantienen por sí solos, sin necesitar del otro. La ausencia de uno no afecta al otro. Está simbolizada por la letra **H** mayúscula.

- Por último, en la relación independiente, los integrantes de la pareja, con autoestima o sin ella, mantienen una relación superficial y sus logros o fracasos son individuales, no en pareja. Como resultado, la vida en común no cumple su función.

Para conseguir una relación interdependiente es necesario nutrir la autoestima mutuamente tal y como se explica en el cuadro de la página 73, *"Nutre tu autoestima"*.

Relación dependiente

Relación interdependiente

Relación independiente

NUTRE TU AUTOESTIMA

Cada miembro de la pareja puede hacer mucho por mejorar la autoestima del compañero/a. He aquí unas sugerencias sencillas sobre lo que él o ella necesitan para satisfacer sus necesidades de autoestima y mejorar el concepto propio. (ver Van Pelt, N. L., 2000):

La mujer necesita	El hombre necesita
1. Demostraciones de cariño y afecto	1. Alabanzas por su capacidad y rasgos de carácter
2. Seguridad emocional	2. Aprobación y apoyo
3. Elogios por sus valores positivos físicos, laborales y personales	3. Elogios por sus valores positivos físicos, laborales y personales
4. Detalles románticos	4. Detalles

El análisis cuidadoso de las necesidades mencionadas, revelará que la **autoestima** es denominador común de todas ellas.

Por su parte, la autoestima se nutre con:

- palabras de aprobación y cariño,
- elogios por lo que uno es y por lo que hace,
- amor romántico,
- demostraciones de aprobación y respeto, y
- una buena compenetración sexual.

Estas conductas conllevan el mensaje: "Eres importante", "Te acepto", "Tienes cualidades de valor", "Me atraes", etcétera, expresiones todas ellas enriquecedoras del autoconcepto.

Relaciones sociales y ocio

Las relaciones sociales externas pueden traer consigo problemas a los recién casados. Con frecuencia las redes de amistades han sido diferentes para ambos. Ahora, ya unidos, tienen que iniciar un nuevo estilo de vida social, presentándose el dilema de qué relaciones amistosas mantener. Si uno de los cónyuges insiste en conservar y nutrir todas las amistades antiguas, el otro se considerará desplazado.

El problema necesita de una buena dosis de diálogo, seguido por una amplia negociación teniendo en cuenta ciertos principios generales:

- *El matrimonio no significa la ruptura total de los círculos sociales previos,* pero sí su disminución.

- Como uno de los objetivos primordiales de la pareja es edificar la mutua relación, es preciso *potenciar las actividades conjuntas,* como los deportes y pasatiempos hechos entre los dos. Esto ocupará la mayor parte del tiempo libre y el resto puede orientarse a las amistades externas.

- *Evitar posturas radicales* en cuanto a las amistades del cónyuge: «¡Ahora que estás casada, se acabaron los encuentros con tus amigas!»

- *Ejercer paciencia,* ya que, de forma natural, el *proceso de adaptación* sufre cierta demora y va concluyéndose a medida que la relación conyugal se afirma.

Otro aspecto que puede ser *fuente de disensión* en los matrimonios nuevos es la *relación con las respectivas familias de origen.* El cuadro de la página siguiente, muestra algunos consejos a seguir a la hora de mantener el equilibrio entre los casados y los parientes de ambas partes.

Cómo llevarse bien con los familiares del cónyuge

Hay quienes cuentan con una tradición familiar muy arraigada. Otros, desde un princi-pio, mantienen vínculos familiares someros y la presencia de las respectivas familias no es motivo de interferencia. Para unos, la relación con su familia original es importantísi-ma, mientras que para otros este tipo de relación es indiferente. En todo caso, es nece-sario ejercer cautela para no herir al cónyuge y evitar quebrantos en la relación conyu-gal. He aquí algunos consejos para llevar a cabo esta tarea con éxito:

- **Entablar amistad con la familia política.** Los suegros, cuñados… pueden resultar al principio molestos; después de todo, no se eligen, sino que vienen por añadidura con el cónyuge. Sin embargo, es preciso esforzarse en aceptarlos, trabar amistad con ellos y aprender a gustar de su compañía. Esto facilitará no solamente una mejor relación fami-liar general, sino también conyugal.
- **Esforzarse en aceptar las diferencias familiares.** Con toda probabilidad habrá diferen-cias importantes en la manera de ser y de actuar de ambas familias de origen, y esta realidad debe ser aceptada. Con una actitud abierta y cordial, no solo se hará llevadera la relación, sino que se aprenderá de ella y llegará a disfrutarse de la familia política.
- **Cuidar de los detalles: aniversarios, regalos… en la familia política.** Todo el mundo acepta estos detalles (felicitaciones, pequeños regalos) como una demostración de cariño y aprecio que edifica la buena relación familiar.
- **Mantener la relación conyugal en el centro.** A pesar de lo dicho en los puntos anterio-res, la relación conyugal es absolutamente prioritaria. La pareja necesita sentar funda-mentos y edificar la nueva familia. Excepto en contados casos (por ejemplo, abuso do-méstico), la pareja, y no la familia de origen, es el centro y refugio emocional de los cón-yuges.
- **Ser equitativos en las relaciones familiares.** Es importante mantener el equilibrio en la cantidad y calidad de las relaciones con ambas ramas de la familia. Las visitas a los pa-dres, hermanos, primos… de la esposa deben compensarse con la parte correspondiente en la familia del esposo.

Sumario de este capítulo

Llegan los hijos

4

SUENA EL DESPERTADOR, Gonzalo se prepara para ir al trabajo mientras Irene prepara todo antes de despertar a las niñas (de 8 y 4 años de edad). Desayunan con rapidez y salen de la casa. El autobús escolar recoge a las niñas.

Irene trabaja solo por las mañanas. Así que, al salir del trabajo, recoge a la pequeña de la guardería. Una vez en casa, comen y acuesta a la niña para que duerma la siesta. Entretanto se ocupa de las tareas domésticas. Después lleva a la niña al parque. Gonzalo termina a tiempo para recoger a la mayor. Ya en casa juega con sus hijas mientras Irene plancha y supervisa las tareas escolares. Después ayuda a Irene en la cocina, cenan e Irene acuesta a las niñas mientras Gonzalo lava los platos. Ambos están cansados.

Esta pareja se ha dado cuenta de que nunca tienen tiempo para hablar con tranquilidad, ni para estar juntos y solos durante un rato... Por eso, han decidido apartar para ellos un fin de semana al mes y realizar un viajecito solos (las niñas se quedan con los abuelos). Caro les cuesta, pero han concluido que una vida matrimonial infeliz sería una experiencia mucho más cara y dolorosa.

Características de la pareja en la etapa en la que llegan los hijos

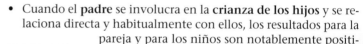

- Tener hijos supone **cambios sustanciales** para la pareja, pero con la debida planificación, el matrimonio puede seguir nutriéndose y desarrollándose durante los años de convivencia con los hijos.

- **Planificar la paternidad** es una acción que requiere **gran responsabilidad** y abarca aspectos de preparación física, mental, material y social. Todo ello, acompañado de respeto y sacrificio hacia los hijos y del compromiso para dotarles de una buena herencia en valores e ideales.

- La pareja con **hijos de 0 a 5 años** vive bajo una **fuerte presión física y psíquica**, pero con la debida planificación y apoyo mutuo, es posible salir triunfadores de esta etapa.

- Cuando el **padre** se involucra en la **crianza de los hijos** y se relaciona directa y habitualmente con ellos, los resultados para la pareja y para los niños son notablemente positivos y pueden durar muchos años.

- La ayuda de los **abuelos** en el cuidado de los niños es muy valiosa, pero la relación con ellos ha de ser de verdadera amistad.

- El **trabajo de la mujer fuera de casa** proporciona una mayor sensación de igualdad y de realización, con ingresos más elevados. Sin embargo, también puede traer consigo una menor atención a los hijos y un sentimiento de culpa en los padres.

- **Negociar en la relación** es una destreza de gran valor. Cuando la pareja entiende que su relación es de **igualdad**, la negociación se hace relativamente sencilla.

- Con el cambio que produce la presencia de los hijos, la pareja necesita cultivar la costumbre de **comunicarse cuidadosamente**, utilizando modos de hablar que no hieran o culpen al contrario.

- Los padres con **hijos en edad escolar y adolescente** necesitan **variar los métodos de disciplina** y de relación de acuerdo a la edad, sin olvidar el cuidado que la relación conyugal requiere.

- Los padres cuentan con el privilegio de **transmitir valores** éticos, sociales, morales y religiosos a sus hijos en el contexto favorable que supone la vida familiar.

- La **vida sexual** de la pareja tiende a disminuir en esta etapa de padres. Sin embargo, la calidad e intimidad sexual pueden mejorar con el firme deseo y planificación por ambas partes.

Necesidades del niño

Tener hijos es algo serio, especialmente en nuestros días. Las necesidades de un niño desde que nace hasta que se marcha de casa son múltiples.

Desde meses antes del nacimiento, va emergiendo una larga lista de obligaciones, planes y decisiones para satisfacer las múltiples necesidades de los hijos.

Necesidades físicas

Ropa, alimentación, desarrollo motor, juegos y deportes, descanso, higiene, salud...

Necesidades cognitivas

Aprendizaje de la lengua, desarrollo de la inteligencia, resolución de problemas, guardería, centro escolar, centro secundario, orientación hacia una carrera o línea profesional, libros y lecturas, vídeos o películas, visitas a museos y otros centros de cultura...

Necesidades sociales

Actividades conjuntas padres-hijos, amistades de la edad correspondiente, modales, urbanidad, resolución de conflictos interpersonales, relaciones con familiares y parientes, excursiones y vacaciones...

Necesidades morales y espirituales

Enseñanza de valores (respeto, justicia, magnanimidad, generosidad, veracidad, economía...), desarrollo del carácter, distinción entre el bien y el mal, disciplina, maduración y control de las emociones, dominio propio, resolución de conflictos íntimos, obediencia, amor a Dios...

Paternidad responsable

Dada la complejidad de ser padres y, al mismo tiempo, de preservar la calidad del matrimonio, es necesario planificar estos años familiares. Aunque no es posible garantizar la felicidad absoluta, sí podemos decir que, con la debida **preparación** y **planificación**, las crisis pueden transformarse en dificultades manejables.

La paternidad irresponsable tiene un coste altísimo para los padres, sus hijos y la sociedad en general. Muchos de los errores cometidos por jóvenes no aptos para la maternidad o la paternidad tienen que pagarse muy caros. Por ello, es sabio conocer estos aspectos y dar el sencillo paso de la **prevención**.

El hombre y la mujer que desean ser padres deben...

1. **Estar preparados mental y físicamente**. Es fundamental tener una actitud positiva durante la etapa prenatal, especialmente la madre, aunque el padre, con su conducta y actitud, puede influir decisivamente en el estado de ánimo de su esposa. En cuanto al estado físico, existe un altísimo riesgo para el feto si su madre está desnutrida, ingiere ciertos medicamentos, o consume alcohol, tabaco, cafeína, marihuana o cualquier otra droga. La existencia del virus del sida en la madre constituye un riesgo importante de transmisión al feto. También corre riesgo cuando la madre contrae o padece ciertas enfermedades: rubéola, diabetes, tuberculosis, sífilis...

   El padre no está exento de responsabilidad. El uso de marihuana, tabaco, alcohol y otras drogas produce espermatozoides con defectos (ver Lester, R. y Van Theil, D. H., 1977).

2. **Esperar hasta contar con recursos económico-materiales mínimos**. Tener un hijo requiere un mínimo de calidad en el estilo de vida, con unos ingresos estables y suficientes para afrontar los gastos regulares del recién nacido y en años sucesivos. Esto incluye la provisión de un ambiente general que sea favorable para el desarrollo psicofísico de los hijos (Fraga, C. G. *et al*, 1991).

3. **Esperar hasta contar con los recursos emocionales mínimos**. Las parejas demasiado jóvenes o recién casadas necesitan tiempo para madurar en su relación, para adaptarse a la vida de casados. De esta manera ambos estarán mejor preparados para afrontar la responsabilidad de ser padres.

4. **Tener en orden todo lo referente a las expectativas legales y sociales**. Es imprescindible considerar las implicaciones legales y sociales de tener un hijo sin formalizar la relación. Por mucho que la sociedad tolere y admita las circunstancias especiales, los padres tienen que pensar en los problemas que dichas situaciones conllevan, y actuar responsablemente.

5. **Estar preparados para efectuar sacrificios**. La tarea de padres lleva consigo una enorme satisfacción. La mayoría de los progenitores no la cambiarían por nada. Sin embargo, ser buenos padres implica esfuerzo y sacrificio personales. Precisa tiempo, dinero, esfuerzo físico y emocional, y cambios en los horarios y en las actividades.

6. **Respetar a los hijos**. No pueden considerarse como una propiedad. Jamás deben ser explotados física, psicológica o sexualmente. A medida que crecen, van expresando sus propias ideas en las que los padres tienen derecho a influir, pero si no lo consiguen, deben aceptar y respetar esas diferencias.

7. **Transmitir a los hijos valores e ideales que sirvan de guía el resto de sus vidas**. Los padres tienen la obligación moral de preparar a sus hijos para ser hombres y mujeres de

provecho, portadores de principios y valores útiles a ellos mismos y a la sociedad. También deben transmitir sus ideas y tradiciones morales y religiosas, por medio de consejos y, sobre todo, de buen ejemplo. A veces, cuando alcanzan la mayoría de edad y la consiguiente independencia, el pensamiento y conducta de los hijos pueden ser contrarios a los ideales de los padres. En esas circunstancias los padres pueden advertir, aconsejar, negociar... pero si no hay consenso, habrán de dejar a los hijos tomar su propio camino y vivir sus consecuencias; salida triste esta, pero que ha de contemplarse como una posibilidad en el papel de padres.

Decisiones especiales

En contraste con la tendencia tradicional de casarse y empezar a tener hijos inmediatamente, las parejas de hoy hacen planes de paternidad para el momento adecuado. Otras contemplan la adopción y se deciden por ella. Otras prefieren no vivir la paternidad.

Posponer

Cada vez es más común esperar unos años hasta empezar a tener prole. Las razones son válidas: acabar los estudios, lanzarse hacia una carrera profesional que requiere dedicación exclusiva inicial, o afirmar la relación conyugal para que el advenimiento de los hijos se produzca en un momento favorable. Según los estudios, la calidad de la paternidad en las parejas que han pospuesto tener hijos es mejor que la de los padres muy jóvenes, y la satisfacción por la llegada del bebé también es superior. Sin embargo, posponer demasiado encierra el riesgo de no poder concebir, complicaciones en la gestación y el embarazo y las dificultades propias de criar a niños pequeños a una edad más avanzada.

Adoptar

Quedó en el pasado el sistema secreto de adopción en el que nadie sabía nada del proceso y, repentinamente, un niño recién nacido aparecía en la familia. En comunidades pequeñas esto hacía que todos supieran que el niño era adoptado menos el propio niño, que tarde o temprano se enteraba. En la actualidad, el proceso es mucho más transparente y se está haciendo más popular entre personas que no pueden tener hijos y también entre quienes ya los tienen. La experiencia puede ser altamente gratificante, tanto para unos como para otros. Dar el paso de la adopción suele indicar un alto nivel de altruismo que favorece el amor entre el niño y los padres adoptivos, además de la satisfacción de haber ayudado a una criatura cuyos padres naturales no pueden responsabilizarse de ella.

No tener

Aunque en pequeña proporción, existen parejas que deciden no tener hijos. A esto, amigos y familiares suelen reaccionar diciendo que son egoístas, que no es posible amar de verdad hasta que no se tienen hijos, que ellos no habrían nacido si sus padres hubiesen pensado así o que van a ser infelices sin hijos. No es bueno criticar estas posturas. Hay quienes toman esta decisión por razones profesionales o porque desean tener más libertad; otros piensan que no valen para ser padres, aun otros observan la vida y sus riesgos y concluyen que no merece la pena traer hijos al mundo. La decisión debe respetarse, especialmente cuando es producto de la voluntad de ambos cónyuges después de haber sopesado sus beneficios y desventajas.

Planificación familiar

A veces es necesario posponer la función procreadora hasta un futuro más favorable. Este es un tema de extrema importancia. Incluso cuando la pareja ya tiene hijos y no desea ampliar más la familia porque podría desestabilizarla. En el cuadro de la página siguiente se muestra una variedad de opciones válidas para planificar la concepción de una forma responsable.

Para decidirse por un método anticonceptivo, hay que considerar las **circunstancias personales** de la pareja, recibir la **información profesional** suficiente, debatir las **alternativas** y tomar una **decisión conjunta**. La planificación familiar es asunto de ambos y no procede descargar toda la responsabilidad sobre uno de los cónyuges.

Cuando la pareja es joven, *no* es aconsejable optar por la **esterilización** de él o de ella, aunque ya tengan hijos. El futuro de las circunstancias familiares puede cambiar y este método es, a efectos prácticos, irreversible. El **dispositivo intrauterino** *tampoco* es recomendable para una pareja que decide no tener hijos por el momento, pero desea tenerlos en el futuro. La razón es el riesgo de esterilidad en la mujer.

Una pregunta crucial que debe hacerse la pareja es: ¿Cuánto trastorno nos produciría un **embarazo indeseado**? Si una pareja, por la razón que sea, no puede o no debe tener hijos, es nece-

sario contemplar métodos de alta eficacia, como los anticonceptivos orales o de implantación hormonal. Al mismo tiempo, es imprescindible tener en cuenta que estos métodos tienen importantes efectos secundarios para ciertas mujeres, y es muy importante prevenir complicaciones en la salud. Antes de iniciar un método oral hay que someterse a un examen médico y seguir consejo ginecológico.

Si la pareja no desea tener hijos por el momento, pero si los tuviese, el trastorno sería leve, entonces son recomendables los métodos de barrera, especialmente el preservativo por poseer una buena eficacia sin efectos secundarios.

Las **mujeres con un periodo regular**, pueden beneficiarse de la combinación de métodos naturales. Tomados en conjunto, ofrecen una buena indicación del momento de la ovulación. Este método requiere el mutuo acuerdo de evitar la cópula ciertos días del mes. Sin embargo, el procedimiento, bien llevado a cabo, es inocuo, barato, sin secuelas y relativamente eficaz.

Métodos anticonceptivos

Método	Descripción	Eficacia
Esterilización	Intervención quirúrgica que consiste en la ligadura de las trompas de Falopio en la mujer o en la sección del conducto deferente en el caso del varón. El método es permanente o muy difícil de revertir.	>99%
Píldora	Grageas de administración oral que contienen cierta combinación de hormonas para evitar la fecundación. Ayudan a regular el ciclo menstrual y pueden prevenir el quiste de ovario y la inflamación de la pelvis. Sin embargo, pueden ocasionar, obesidad, dolor en las mamas, y descenso de la excitación sexual, entre otros síntomas.	97%
Preservativo	Funda alargada de goma muy fina y resistente que se aplica el varón sobre el miembro viril antes de la penetración para evitar que el semen proceda al conducto vaginal. El método puede fallar al no usarlo desde el principio del coito, estar en mal estado o romperse.	88%
Diafragma	Pequeño tapón de goma muy fina rodeado de un anillo de metal que se coloca en la parte más alta del conducto vaginal para evitar que el semen penetre en la matriz. Puede fallar por una mala aplicación, por retirarlo antes de ocho horas después del coito, por rotura o por no usar suficiente espermicida. A veces produce alergia o infección local.	82%
Tapón cervical	Pequeño tapón de goma o plástico en forma de dedal que coloca el médico en la parte más alta del conducto vaginal. Funciona exactamente igual que el diafragma pero puede dejarse por periodos prolongados. También debe usarse con espermicida.	82%
Dispositivo intrauterino	Objeto de forma variable que el médico coloca en la matriz, a través del conducto vaginal. Este objeto produce una reacción inflamatoria en el útero, que atrae glóbulos blancos, los cuales producen sustancias venenosas para los espermatozoos, no logrando estos fecundar el óvulo. Este método puede causar infecciones locales serias y excesiva menstruación, así como esterilidad permanente en la mujer.	98%
Espermicidas	Son cremas o espumas que la mujer se inserta con un aplicador en la vagina antes del coito. Esta sustancia elimina los espermatozoos, evitando así la fecundación. Pueden fallar si se usan demasiado pronto, o si se aplica una cantidad insuficiente. En ocasiones producen reacciones alérgicas.	79%
Implantación hormonal	El médico implanta un dispositivo minúsculo bajo la piel del brazo de la mujer. Este implante segrega la hormona progestina en cantidad suficiente para prevenir la fecundación. Sus efectos duran cinco años. Los efectos secundarios son los mismos que en la píldora.	>99%
Natural	Consiste en planificar el coito para los días del mes cuando la fecundación es improbable. Para ello la mujer usa varios procedimientos: el conocimiento exacto de su ciclo por medio del calendario, las variaciones de su temperatura corporal, los cambios en la cantidad y consistencia del moco cervical. De esta manera, logra estimar el día aproximado de la ovulación, evitando el coito los días anteriores y siguientes a ella.	80-90%

La llegada del primer hijo

El nacimiento del primer hijo marca un hito trascendental en la vida de la pareja. Por fortuna, desde que se conoce la noticia del embarazo hasta el día del parto, transcurren suficientes meses para irse acostumbrando a la idea de ser padres y prepararse para este acontecimiento. A pesar de todo, la presencia del bebé, especialmente del primero, produce una gran impresión.

Así recuerda el autor del presente libro los momentos después del primer parto de Annette, su esposa:

«Al ver la niña recién nacida, sucia y sangrienta no sentí ternura alguna. Menos aún cuando le introdujeron un tubo por la boca para aspirar del estómago todos los restos de sangre y otros fluidos. Eso sí, ya entonces pude comprobar la iniciativa de Claudia: mientras la enfermera introducía el tubo, la niña, con cinco minutos de edad, agarraba dicho tubito y tiraba de él con ambas manos para librarse de la molestia.

»Una hora después, cuando Annette dormía rendida por el esfuerzo del parto, trajeron a la niña limpia, vestida y dormida en una cunita. Ahora sí que sentí la ternura que no vino al principio. "Estas son las delicias de ser padre. ¡Qué carita más deliciosa y apacible!"–pensé–; "todos estamos cansados, es hora de dormir".

»Una hora más tarde, Claudia empezó a emitir un ruido, como si hiciera gorgoritos, pero muy suave. Me levanté y la miré de cerca. Parecía dormir tranquilamente, pero hacía continuamente ese ruido. Mirando su rostro relajado, sentí vergüenza de

llamar a la enfermera para preguntar si eso era normal...

»Me tumbé otra vez e intenté dormir, pero no pude. Las "gárgaras" duraron tres o cuatro horas, de manera intermitente. Yaciendo en ese sofá hospitalario, no pude pegar ojo en toda la noche. Ahí, tendido, me preguntaba: "¿Serán así todas las noches? ¿Qué será esto de ser padres?"»

En efecto, con el alboroto del parto y los sucesos en torno al mismo, los padres no se dan cuenta del efecto real que produce el nuevo miembro de la familia. Semanas después, un análisis de las actividades cotidianas mostrará que la vida de la pareja ha cambiado por completo.

La presencia de los hijos tiene la capacidad de **fortalecer la relación conyugal** y de proporcionar una **medida adicional de felicidad** a la pareja. Ambos se sienten más unidos por la presencia del primer hijo, quien proviene precisamente del fruto de su amor. El cuidado del pequeño y los progresos que hace a diario son una fuente de satisfacción para los padres.

Con la alegría... pueden llegar los problemas

Es cierto que la llegada de los hijos produce una gran alegría, pero no podemos desconocer que también pueden interferir en la relación de pareja y producir distanciamiento, y hay que estar preparados para ello. No hay duda de que la dinámica familiar cambia por completo. Ahora bien, con algunas medidas preventivas, podemos convertir estos años en memorables y llenos de satisfacción.

Consideremos algunos factores que pueden influir negativamente en esta bella experiencia:

- **Las expectativas de ser padres son, con frecuencia, erróneas.** Quizá porque la paternidad se ha descrito como una experiencia romántica e ideal y no se han enfatizado el trabajo y el sacrificio que conlleva. Por eso, los futuros padres no deben esperar que todo será idílico, sino entender que la experiencia tiene varias vertientes, unas gozosas y otras no. Los padres jóvenes (en tor-

continúa en la página 86

LOS NIÑOS DESPLIEGAN UNA GRAN ACTIVIDAD

*No se alarmen los padres porque el niño esté en constante actividad durante todo el día. Hay que recordar que explorar el mundo y manipularlo es su principal responsabilidad. Esto facilita el **desarrollo motor, intelectual y social**. Cualquier padre o madre que se sienta con ánimos puede observar y anotar todas las actividades del **niño de dos años** en un día y compararlas con los siguientes datos:*

Actividad	Cantidad de veces
Observa algo	643
Anda	299
Recoge un objeto	210
Escucha	172
Manipula un objeto	96
Señala con el dedo	85
Llora	62
Recibe algo de alguien	48
Da algo a alguien	46
Se ríe	34
Se tumba en el suelo	26
Canta	22
Chilla	17
Golpea un objeto	16
Baila	16
Hace resistencia	11
Se cae	9

¿Pero es normal toda esta actividad? Sí. Estas actividades se consideran promedio en una **niña** de esta edad. Si observáramos a un niño, las frecuencias se incrementarían ligeramente. Los padres con niños de esta edad deben entender que su labor supervisora es muy intensa pero necesaria para la maduración. La actividad irá decreciendo a medida de que el niño se desarrolla.

Uno de los aspectos más críticos en la pareja con hijos, especialmente si estos tienen edad preescolar, es el tema de **compartir las tareas domésticas**. En una encuesta internacional con participación de parejas de Europa, Asia, África y Norteamérica con hijos de cuatro años se verificó que el tiempo promedio de interacción padre-hijo era de una hora diaria los días laborables. En esos mismos días, la interacción madre-hijo era de diez horas diarias.

Es cierto que estas madres no estaban empleadas fuera de casa o si lo estaban no desempeñaban una función a tiempo completo. Aun así el problema perdura con las parejas en las que ambos trabajan. Se estima que en las familias donde marido y mujer mantienen empleo, ambos a tiempo completo, él realiza el 30% de las tareas domésticas y del cuidado y atención a los niños, y el restante 70% las lleva a cabo ella.

¿Por qué no colaboran más los padres? Ciertamente, sería estupendo para todos y cada uno de los integrantes de la vida familiar, según los datos del cuadro de la página 91. Sin embargo, al padre de familia le cuesta involucrarse en las tareas domésticas y en la relación infantil.

los primeros años. El sistema tiene sus ventajas y sus inconvenientes (ver el cuadro de la pág. 88). Por tanto, ha de llegarse a una decisión consensuada, evaluando lo que en cada situación se gana y lo que se pierde. Una vez alcanzado un acuerdo, las perspectivas de éxito son muy altas, independientemente de cuál sea la opción escogida.

Cuando la esposa siente el llamamiento a su función de esposa y madre en exclusiva, la situación es ideal. El papel de formadora de los niños pequeños cuenta con multitud de ventajas, siempre que ella se sienta satisfecha y realizada en las tareas. Sin embargo, el progreso de la mujer es inequívoco y su capacidad para realizar trabajos tradicionalmente asignados al hombre, incuestionable. Por tanto, se impone la necesidad de diálogo y de acuerdos que satisfagan a ambos cónyuges sin menoscabar las necesidades de los hijos.

- **Otro de los factores que afectan al éxito de la familia con hijos es la calidad de la relación conyugal.** Para una pareja que disfruta de una relación amante y cooperadora, la llegada de los hijos no supone crisis o trauma. Se ha dicho que el mejor regalo de un padre a sus hijos es amar a la madre. Un esposo amante, atento, considerado, y dispuesto ahuyentará los sentimientos de insatisfacción de su esposa. Una esposa con las mismas características hará el círculo completo.

viene de la página 84

no a los veinte años) o los que no cuentan con un plan común para la paternidad acusan más esta nueva situación. En cambio, las parejas de más edad o quienes han planificado cuidadosamente el momento para tener familia se ven menos afectados.

- **Trabajar ambos cónyuges fuera de casa es otro factor que puede agravar el estrés de**

La satisfacción de tener hijos

En la Universidad de Nebraska, se elaboró una lista exhaustiva de las experiencias que tanto padres como madres consideran fuentes de satisfacción. En la lista de mayor a menor, estas van a la cabeza:

1. Observar cómo crecen y aprenden.
2. Sentir amor por ellos.
3. Sentir orgullo por sus logros.
4. Compartir con los hijos.
5. Experimentar crecimiento personal por causa de los hijos.
6. Transmitir nuestros valores.
7. Disfrutar de actividades en conjunto.

Hay infinidad de razones para aumentar la felicidad familiar y conyugal con la presencia de los hijos. No dejemos que los aspectos laboriosos y molestos del proceso tomen la delantera, ni vivamos la experiencia como si se tratase de un mal trago.

Cómo sobrevivir con niños pequeños

Al año del nacimiento, cuando el niño comienza a andar y a explorar su entorno, la tarea supervisora se hace más fatigosa. Los años siguientes hasta el comienzo de la etapa preescolar y escolar, van a ser duros. Muchas parejas descubren que tener hijos es más difícil de lo que esperaban. La madre, que generalmente lleva la carga de criar a los hijos, se queja de que el padre no ayuda lo suficiente. Todas estas cosas pueden ser el preludio de una crisis conyugal. Pero puede prevenirse y, por ello, es importante contar con estrategias de supervivencia. Prueba las siguientes:

Filtra todo con el cristal del buen humor

Para superar esta dura etapa has de ver el lado cómico de las cosas. Después de todo, al concluir este periodo, nadie lo recuerda con amargura. Es preferible reír que llorar.

Realiza "terapia de grupo" con otras madres y padres

No hay actividad más útil para la salud mental que reunirse varios padres y madres, en el parque o en casa, mientras los niños juegan, para intercambiar experiencias sobre la tarea infantil. No solo es pedagógico (se aprende mucho en dichos encuentros), sino también terapéutico, pues se abandona la reunión con una sensación de alivio al comprobar que otros tienen tus mismos problemas.

Nutre tu relación de pareja

La relación conyugal es básica y fundamental como sistema de apoyo. Cuando la relación entre esposos es óptima, el esfuerzo físico y emocional que demandan los hijos se reduce. Por eso es importante dedicar tiempo y cuidado a hacer feliz al cónyuge. Reserva con regularidad algún momento para una escapada con la ayuda de un familiar o del servicio de una canguro.

Busca apoyo en la familia

Sea la del uno o la del otro, los abuelos, los tíos... suelen estar dispuestos a echarte una mano. Madres e hijas, especialmente, suelen sentirse ahora más cerca que nunca. En una medida razonable, este apoyo familiar es altamente beneficioso para todas las partes.

Ten mucha paciencia

Los cambios en los niños y el advenimiento de cierta madurez llevan su tiempo, pero finalmente llegan. Ayuda pensar que cada etapa es única e irrepetible y que hay que disfrutarla todo lo posible.

TRABAJAR FUERA DE CASA

*Con la llegada de los hijos, el trabajo a pleno tiempo de ambos cónyuges puede suponer una barrera en el cuidado de los pequeños y, a su vez, una **fuente de conflicto conyugal**. Es imprescindible sopesar las ventajas e inconvenientes del sistema y adoptar una decisión basada en el acuerdo entre ambos cónyuges.*

Cada familia es peculiar y no hay una solución óptima para todas. Quizá una buena solución sería adoptar por unos años lo que muchas empresas están promoviendo en los últimos tiempos: el trabajo compartido (entre la casa y el lugar de trabajo), los horarios flexibles, o el trabajo en casa (con los beneficios correspondientes). Usando estas alternativas, una mujer (por ejemplo), puede desarrollar parcialmente su profesión y, al mismo tiempo, cumplir su papel de madre hasta que la edad de sus hijos permita una solución alternativa.

Ventajas

- En su papel polifacético de esposa-madre-profesional, la mujer se siente más realizada y con mejor autoestima.
- Más igualdad en la relación.
- El varón, tradicionalmente el único sustentador de la familia, tiene menos presión al contar con los ingresos de ella.
- Ingresos más elevados.

Inconvenientes

- La mujer vive el conflicto de alternar dos papeles opuestos: dura y agresiva en el trabajo, y cariñosa y maternal en el hogar.
- Mayor riesgo de estrés generalizado para toda la familia.
- Ambos cónyuges, y más intensamente la mujer, tienden a los sentimientos de culpabilidad por no conceder más atención personal a los hijos.
- Tensión constante entre empleo y familia.

Mi suegra se entromete demasiado

Tengo 26 años y vivo con mi marido y mi hijo de un año. Llevamos tres años casados y los dos estamos contentos con nuestra situación familiar. Tan solo hay un asunto que me preocupa especialmente. Los padres de mi marido son buenas personas. Se quedan con el niño todos los días para que yo vaya a mi trabajo de media jornada. Sin embargo, en honor a la verdad, he de decir que mi suegra se entromete demasiado. Me hace mil preguntas y ofrece mil consejos en todo lo que tiene que ver con mi casa, mi niño y mi marido. ¿Qué puedo hacer para que me deje más espacio y libertad, especialmente en lo relativo a mi ámbito familiar?

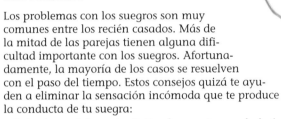

Los problemas con los suegros son muy comunes entre los recién casados. Más de la mitad de las parejas tienen alguna dificultad importante con los suegros. Afortunadamente, la mayoría de los casos se resuelven con el paso del tiempo. Estos consejos quizá te ayuden a eliminar la sensación incómoda que te produce la conducta de tu suegra:

- **Intenta ser tolerante.** Entiende que siempre habrá algo de intomisión en la actitud de tu suegra. Ella ha vivido más años y cree saber más que tú. Su conducta es bienintencionada y difícil de cambiar. Piensa en las cosas positivas de tus suegros y no te centres en sus imperfecciones.

- **Fortalece los vínculos de amistad.** Lo fascinante de las relaciones humanas es que cuando hay amistad, muchas de estas intromisiones ya no molestan. Sería bueno que desarrollaras una amistad un poco más profunda. Esto se consigue con la conversación. Muestra interés por sus actividades, sus pasatiempos, los tiempos de su niñez o cuando sus hijos eran niños. Hablar de todas estas cosas te acercará más a ella y te ayudará a entender mejor su actitud y su conducta.

- **Procura el apoyo de tu marido.** Es posible que tu esposo se ponga de parte de su madre. Sin duda, esto es fuente de frustración. Para ganártelo, no lo recrimines por su falta de apoyo; más bien, adopta una actitud de alabanza hacia las cosas buenas de su madre. Sugiere hacerle algún regalo como reconocimiento a su labor. Esto producirá una reacción positiva en él y hará que vea las cosas más objetivamente.

- **Establece límites y comunícaselos.** A pesar de todo, quedarán cosas que no estés dispuesta a aceptar. Y aquí es donde hay que tener mucho tacto. Una vez hayas establecido una relación de amistad más profunda estarás en el mejor momento para confrontar a tu suegra. Escoge los puntos más conflictivos, aquellos en los que la actitud de tu suegra te resulte más intolerable. Y cuando ella se entrometa en ese terreno, le explicas brevemente tu postura. Hazlo de forma correcta, amable y con naturalidad, pero con firmeza. No es necesario dar razones o explicaciones largas. A continuación, vuelve a la relación normal.

- **Acepta solo lo esencial.** Al recibir favores o ayuda económica por parte de tus suegros les estás permitiendo una medida adicional de intromisión. Es una reacción humana normal. Por tanto, limita lo que de ellos recibes. Si la ayuda con el niño es inevitable, adelante; pero trata de no aceptar otros dones y verás como esto también suaviza la actitud de tu suegra.

Reorganización de las funciones

El **hombre** parece tener una íntima aprensión a perder las riendas del hogar, a dejar atrás su papel de cabeza. Debido a que su profesión, su trabajo, constituye la principal fuente de autoestima, también tiene miedo a perder terreno y a quedarse sin lo que alimenta su mismo ego.

Las **mujeres**, al permitirles a ellos hacer las tareas tradicionalmente femeninas, pueden sentirse acosadas en su fuero interno. Pensar que pierden terreno, que están siendo invadidas en su propio dominio.

Es cierto que muchos hombres hacen un papel muy pobre en las tareas domésticas. Quizá porque nunca se les permitió que aprendieran a hacerlas. El hecho es que, al no saber llevar a cabo un buen trabajo, lo rehúyen.

Estas barreras pueden echarse abajo a través del **diálogo franco** entre esposos.

Dejando aparte cualquier actitud de reprensión, la pareja necesita hablarse y escucharse mutuamente, y encontrar respuestas válidas para ambos a estas cuestiones: ¿Por qué no colaboro más?, ¿qué puedo hacer bien?, ¿qué puedo aprender a hacer?, ¿me necesitan mis hijos? El mero diálogo sobre estos temas ayudará a ambos a sentirse mejor y a variar la asignación de tareas cuando sea necesario.

Un aspecto práctico que servirá, sin duda alguna, a salvar muchas diferencias es la actividad comunicativa de los cónyuges y su capacidad para hablar, negociar y alcanzar acuerdos respecto a las funciones de cada uno en el hogar, en la educación de los hijos y en cualquier otro tema que así lo requiera. El cuadro de la parte inferior de esta misma página, ofrece un plan de negociación paso a paso, y el de la página 93, una serie de consejos para comunicarse mejor.

Negociar

Betty Carter, fundadora y directora del Instituto Familiar Westchester recomienda un método simple y eficaz para que los esposos logren acuerdos satisfactorios para ambos. Este plan está diseñado especialmente para la pareja con hijos en casa. De acuerdo con Carter, la tarea preliminar es entender que la relación marital es una relación de igualdad. Si esto está claro, el proceso de negociación es fácil. Es necesario que:

1. Sepas lo que quieres.
2. Lo expreses con claridad y calma.
3. Escuches la postura de tu cónyuge e intentes comprenderla completamente.
4. Caminéis hacia una solución en la que ambos ganéis y ninguno pierda, por ejemplo, ceder por ambos lados o de modo alterno.
5. Si la negociación falla, presenta una alternativa viable.

La influencia del padre

En las familias donde el padre ayuda a la madre en las obligaciones domésticas y el cuidado de los niños, se ha observado:

- Un alto nivel de satisfacción conyugal.
- Una relación cálida y productiva entre padre e hijos.
- Una experiencia de relajación y conciencia tranquila por parte del padre.
- Un alto concepto de la importancia de la vida familiar por parte del padre.
- Un mayor bienestar por parte de la madre.
- Menos síntomas depresivos en la madre.

Además, en las familias en las que la interacción directa del padre con los hijos es intensa, se ha puesto de manifiesto que...

- Los hijos son más responsables, se llevan mejor con sus amigos, aprenden mejor en el colegio y cuentan con menos problemas de conducta, que los niños de familias donde el padre no está involucrado en el trato con sus hijos.
- El efecto de la influencia paterna es muy duradero y parte de los resultados puede observarse décadas después.
- Su aportación es peculiar y diferente a la de la madre. En concreto el padre favorece el desarrollo físico y motor de los niños jugando con ellos de forma muy activa. Esto ayuda a los niños a liberar energía, a aprender cuándo la actividad es excesiva y a saber controlar la excitación cuando llega el momento. Por su parte la madre se relaciona verbalmente con los niños al hablar con ellos y enseñarles cómo hacer cosas.

Diversos estudios han arrojado resultados muy parecidos en lo referido a los padres que participan de lleno en las tareas familiares (Defrain, J., 1979; Moore, K. A., 1998; Risman, B.J. y Johnson-Sumerford, D., 1998; Schwartz, P., 1995).

El diálogo resulta fundamental

Con el ajetreo familiar del hogar con hijos, los esposos, cansados y frustrados por no acabar nunca con las múltiples tareas, se suelen enviar *mensajes que hieren* y son difíciles de borrar. Suelen ser sobre temas:

- delicados,
- de opiniones contrapuestas,
- susceptibles de herir al otro,
- relativos a la necesidad de un cambio en la conducta del otro.

En estos casos, hemos de ser cautos para hablar sin culpabilizar al otro (al menos en grado extremo) del problema. La solución es utilizar "mensajes que no culpan", es decir, expresiones (generalmente en primera persona) que dan a conocer nuestro sentir, dejando al cónyuge espacio para el cambio. El cuadro de esta misma página ilustra este tipo de mensajes.

Aprender a dialogar simple y llanamente, sin enfados, sin culpabilizaciones, sin victimismo, aportando cada uno lo mejor de sí mismo y con mente abierta facilita la buena marcha del matrimonio en cualquier etapa, pero fundamentalmente en las de cambio.

Mensajes que no culpan

Marisa y Pedro son padres de dos niños en edad preescolar. Él tiene un trabajo que requiere viajar bastante y ella hace sustituciones como maestra, de vez en cuando. Para disponer de intimidad de manera regular decidieron que cenarían juntos por las noches, cuando Pedro no estuviera de viaje. Con esmero, ella prepara la cena diaria para tener ese momento especial del día con su marido. Sin embargo, él es impredecible. A veces llega a la hora de la cena, otras tarde, incluso hasta con una y dos horas de retraso. Esto molesta profundamente a Marisa y decide que lo mejor es hablarlo con él para que haga planes de llegar a tiempo o al menos avise con antelación para cambiar la hora.

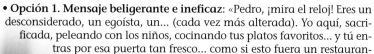

- **Opción 1. Mensaje beligerante e ineficaz:** «Pedro, ¡mira el reloj! Eres un desconsiderado, un egoísta, un... (cada vez más alterada). Yo aquí, sacrificada, peleando con los niños, cocinando tus platos favoritos... y tú entras por esa puerta tan fresco... como si esto fuera un restaurante. Tú crees que soy tu criada, pero estás muy equivocado. Esto no te lo voy a consentir. O llegas a tiempo, o...»

- **Opción 2. Mensaje que no culpa, probablemente eficaz:** «Pedro, me imagino que tienes alguna razón para llegar tarde, pero este momento del día es para mí muy importante y creo que para ti también. Cuando no llegas, me preocupo, me siento herida y hasta pienso que tus amigos o el trabajo son más importantes que yo... y sé que no es así... ¿Qué se puede hacer para que llegues a tiempo? Y si alguna vez no puedes, quisiera que me llamases por teléfono, así podemos cambiar los planes».

Nótese que las frases de la primera opción están expresadas preferentemente en segunda persona (tú eres, tú crees), y las de la segunda en primera persona (me preocupo, me siento herida, sé que...).

PARA COMUNICARSE MEJOR

Hablar del tiempo, de las noticias, del trabajo o de los niños, cuando no hay problemas, no resulta grave. Sin embargo, hay temas o circunstancias particulares en cada pareja cuando hay que medir bien las palabras y los gestos. Los siguientes consejos pueden resultar útiles en estas situaciones escabrosas.

1. **No hables hasta que tu compañero/a haya terminado.** Intenta escuchar con la máxima atención.

2. **Piensa lo que vas a decir.** Antes de comenzar a hablar, piénsalo, especialmente si estás agitado. Ante la duda, no digas nada.

3. **No hables regañando.** Las palabras dichas en tono de reprimenda no surten efecto, aun cuando sean palabras sabias.

4. **Céntrate en lo positivo.** Aunque la conversación sea sobre algún tema escabroso, realiza algún paréntesis y detente para decir algo positivo.

5. **Habla despacio y sin gritar.** La voz suave y el ritmo pausado en la conversación proporcionan calma y tranquilidad.

6. **Di la verdad.** No es bueno mentir, aunque se haga de forma piadosa. Ser veraz lleva su recompensa, pero ha de hacerse con amor y tacto.

7. **Evita el enfrentamiento.** Tu cónyuge y tú no tenéis por qué estar de acuerdo en todo. Siempre existirá algún grado de desacuerdo. Sin embargo, eso no significa que haya de acabar en pelea verbal.

8. **Admite abiertamente tu culpa cuando la tengas.** Esto provocará una reacción positiva en el contrario.

9. **Evita a toda costa el enojo.** Esta actitud quiebra de inmediato el proceso de comunicación y la atención se dirige al estado de ira del enojado y no al mensaje.

10. **Habla a su debido tiempo.** Solo ciertos momentos son adecuados para poder abordar conversaciones delicadas.

«Venced todos los hábitos de hablar con apresuramiento y deseo de culpar a otros... ¡cuánto daño producen en el círculo familiar las palabras impacientes! Pues una expresión de impaciencia de parte de uno de los miembros induce al otro a contestar de la misma manera y con el mismo espíritu.»
Ellen G. White (1827-1915)

Cuando los niños crecen

A medida que los hijos van entrando en la edad escolar, **la dinámica familiar cambia** paulatinamente. Ahora los niños pasan una buena parte del día en el colegio y la interacción familiar se limita a los fines de semana y a unas pocas horas los días laborables. Además, una buena parte del tiempo que los niños pasan con los padres lo hacen cumpliendo alguna obligación: deberes escolares, compras, o trabajos caseros.

Por tanto, el papel de los padres entra en una etapa que la psicología familiar denomina **corregulación**. El constante control de la primera infancia se disipa con la autonomía motriz del niño en edad escolar que se encarga de su cuidado personal y de otras tareas. De esta forma, los padres continúan ayudando a sus hijos en diversas actividades, no ya haciendo todo ellos, sino supervisando las tareas de sus hijos.

El objetivo último es el de la **autorregulación**, que se alcanzará al final de la etapa adolescente.

Ahora cuidan de su higiene personal y de sus pertenencias. Al llegar a la edad adolescente, ya pueden quedarse en casa solos mientras los padres salen a hacer algún recado. También pueden (y deben) ayudar en las tareas domésticas y responsabilidades caseras que permitan su edad y grado de madurez. Esta situación permite algo más de independencia a los padres. El cuadro de la página 95 propone algunos consejos para mantener un mejor funcionamiento de la familia con hijos en edad escolar.

PRIMERA INFANCIA

Control paterno

EDAD ESCOLAR

Corregulación

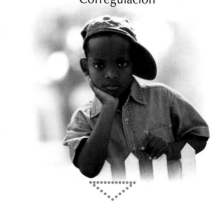

ADOLESCENCIA

Autorregulación

Escolares en la familia

El ingreso de los hijos en el colegio anuncia una gestión más compleja de la familia. Por una parte, los hijos van ganando autonomía, pero por otra, sus necesidades particulares deben considerarse en cualquier plan que se haga (puede ayudarles el libro 'Para el niño; el arte de saber educar', de esta misma colección). Sugerimos aquí una lista de consejos:

- **Realizar actividades con los hijos.** El tiempo que se pasa con los hijos constituye una buena inversión. Es sabido que quienes llevan a cabo actividades con sus hijos (aunque sean deberes escolares o tareas domésticas) los están ayudando a crecer con un mejor autoconcepto y una mejor actitud hacia sus padres.

- **Asignarles responsabilidades.** Desde que cuentan con suficiente edad los niños deben tener su pequeña área de responsabilidad en la familia: en el orden, la limpieza, los recados, etcétera. Esto les ayudará a desarrollar buenos hábitos y un buen carácter.

- **Establecer un horario y normas familiares.** La vida en el hogar con hijos en edad escolar debe contar con una estructura formal, con un horario y unas normas básicas para el buen funcionamiento de la casa. Al elaborar estas directrices es bueno consultar a los hijos, pero la última decisión corresponde a los padres. Contar con este sistema ayudará a resolver los conflictos con facilidad.

- **Preparar a los niños para situaciones de emergencia.** Con más frecuencia cada vez, los niños se quedarán solos en casa y pueden verse frente a situaciones que requieran tomar una decisión rápida o una llamada telefónica urgente. Es muy útil tenerlos preparados para estos casos sabiendo a quién tienen que pedir ayuda en cada situación.

- **Promover una atmósfera de aceptación, cariño y buen humor.** Siempre que sea posible, la familia debe ser un refugio afectivo y no un lugar de conflicto donde las personas vivan en tensión. Esto incidirá en la buena marcha de la relación de los padres entre ellos y de cara a los hijos.

- **Alternarse para no agotarse.** La carga de los hijos en edad escolar (también los adolescentes) no es ya tanto de naturaleza física, sino más bien psicológica. Turnarse en la relación y la lucha con los hijos es una medida profiláctica para la salud mental de ambos padres.

- **Permanecer unidos en criterio.** Es de importancia extrema contar con un criterio común frente a los hijos. Estar unidos es, en muchos casos, más importante que la propia decisión. Una vez que la pareja, en consenso, ha alcanzado un acuerdo respecto a permitir o no permitir algo en los hijos, debe permanecer unida.

- **Nutrir la relación conyugal.** Como en la pareja de la anécdota inicial que dejaba los niños con los suegros una vez al mes, todo matrimonio necesita de algún plan de crecimiento conyugal. Establecer un plan de este tipo no tiene por qué ser complicado, especialmente si ambos cónyuges lo procuran.

Hijos adolescentes

La familia sigue un curso evolutivo continuo desde la llegada de los hijos hasta su marcha. Durante estos años, la pareja pasa por diversas experiencias que constituyen fuente de satisfacción y también de estrés.

Cuando los hijos alcanzan la edad adolescente, la dinámica familiar vuelve a cambiar. Las múltiples variaciones físicas y emocionales de los muchachos y muchachas en edad adolescente (ver el libro *Para adolescentes y padres*, de esta misma colección), afectan a la dinámica familiar de manera significativa. Ahora, es necesario **renegociar la relación padres-hijos** y hacerlo también en el seno de la pareja. He aquí algunas sugerencias para mantener la familia con adolescentes en equilibrio:

- **Cambiar de técnica.** Los adolescentes alcanzan un nivel de autonomía que requiere menos ayuda en los estudios y en las tareas, y menos "sermones". Muchos padres no están preparados y continúan tratando a sus hijos como si fueran pequeños; esto no suele funcionar.

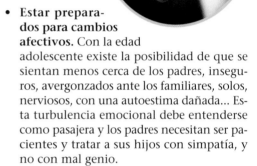

- **Aceptar los cambios en la psicología del adolescente.** Los hijos a esta edad tienden a mostrar una actitud más desafiante. Mientras no constituya una conducta exagerada, los padres deben entender que se trata de parte del desarrollo psicológico y no reaccionar excesivamente ante esta conducta.

- **Adoptar precaución en ciertas conductas arriesgadas.** Con la adolescencia sobrevienen ciertos riesgos sobre los que es necesario advertir a los jóvenes: deportes violentos o arriesgados, drogas, sexo, conductas antisociales, etcétera.

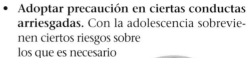

- **Estar preparados para cambios afectivos.** Con la edad adolescente existe la posibilidad de que se sientan menos cerca de los padres, inseguros, avergonzados ante los familiares, solos, nerviosos, con una autoestima dañada... Esta turbulencia emocional debe entenderse como pasajera y los padres necesitan ser pacientes y tratar a sus hijos con simpatía, y no con mal genio.

- **Estar preparados para observar problemas entre hermanos.** Es frecuente que el adolescente muestre una conducta beligerante con un hermano. Es bueno saber que tiende a desaparecer, o al menos disminuir, hacia el final de la etapa, a medida que el adolescente va sintiéndose más seguro.

- **Entender el papel de amigos y compañeros.** Los amigos y compañeros influyen con mucha fuerza en el adolescente. Los padres no deben sorprenderse cuando sus hijos aceptan la opinión de sus amigos como algo casi sagrado. También esto irá desapareciendo cuando se sientan más maduros.

- **Permitir la ayuda de algún adulto externo al hogar.** La actitud del adolescente es generalmente negativa hacia los consejos de los padres. La opinión de un tío, un profesor, o un amigo de la familia puede tener mucho más ascendiente que la de los padres.

- **Dejar que participen en las decisiones familiares.** Los adolescentes deben tomar parte en la elaboración de reglas y decisiones que afecten al círculo familiar, aunque aún no es el momento para dejar que la opinión del adolescente prevalezca, sino que la última palabra la deben tener los padres.

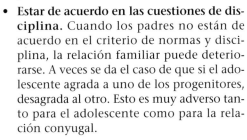

- **Estar de acuerdo en las cuestiones de disciplina.** Cuando los padres no están de acuerdo en el criterio de normas y disciplina, la relación familiar puede deteriorarse. A veces se da el caso de que si el adolescente agrada a uno de los progenitores, desagrada al otro. Esto es muy adverso tanto para el adolescente como para la relación conyugal.

- **Mantenerse unidos en una relación viva.** La etapa adolescente conlleva el suficiente estrés como para afectar negativamente a los padres. Sin embargo, si estos se apoyan el uno al otro, mostrándose amor mutuo y consuelo en los momentos difíciles de cara a los hijos, los problemas hallarán una solución más pronta y eficaz.

La adolescencia no es un problema

Quizás extrañe el título. Es cierto que hay adolescentes rebeldes, inestables, y difíciles.

Pero que existan problemas en ese periodo no convierte a la adolescencia en un problema. El nacimiento de un bebé también entraña dificultades, que pueden ser traumáticas, pero es un hecho natural, común, normal. Con la adolescencia ocurre algo similar.

La etapa más prometedora

Tanto padres como educadores tenemos que acostumbrarnos a observar la adolescencia desde la perspectiva de la normalidad. Algunos psicólogos equiparan esta fase de la vida con un segundo nacimiento que requiere, como el primero, una preparación.

Los árboles nos impiden ver el bosque. Y es una lástima porque este bosque es la edad de oro de la vida. Es el momento de los grandes ideales, por eso surgen los conflictos con los padres a quienes ven con todos sus defectos, al contrario que en la infancia.

Es una etapa cargada de ilusiones y esperanzas. El adolescente está realizando el último esfuerzo para incorporarse a la vida adulta. Un salto que a menudo resulta doloroso, como un parto.

El adolescente necesita que se le comprenda y se le ame más que nunca. Que aunque se equivoque sienta que sus padres están con él por encima de cualquier circunstancia.

Y si alguna vez tenemos dudas sobre cómo enfrentar alguna dificultad, quizás si miramos hacia atrás, hacia nuestra propia adolescencia, encontremos la respuesta adecuada.

La transmisión de valores

Todos los padres emplean una gran cantidad de tiempo, dinero y esfuerzo personal en suplir las necesidades físicas de su prole. Sin embargo, no todos se detienen en su obligación de transmitir valores que hagan a sus hijos aptos para la convivencia social y el servicio a sus semejantes. Menos aún, en **planificar** la enseñanza de esos principios éticos y espirituales que los capaciten.

Una de las amenazas más serias de esta generación es la idea prevaleciente de que transmitir valores, especialmente los religiosos, limita la libertad de elección de los hijos. Y así, se concluye que es mejor no enseñar nada y esperar a que los niños tengan edad suficiente para que ellos escojan sus propias creencias. Este planteamiento es muy peligroso, pues utilizándolo estaremos simplemente educando a nuestros hijos como agnósticos. El **ambiente familiar** ofrece no solo el **mejor contexto** para la enseñanza de estos principios, sino que además constituye el escenario idóneo para ejemplificar dichos valores de forma real.

Proponemos, pues, que los padres sean los instrumentos transmisores de sus creencias en vez de dejarlo en manos del entorno social.

He aquí algunas directrices para llevar a cabo esta trascendental tarea:

- **Identificar los valores concretos que han de enseñarse.** Cada cultura y familia en particular valora, en mayor o menor medida, ciertas conductas y actitudes. Los padres deben ser conscientes de las cualidades éticas, sociales, morales o religiosas que desean impartir a sus hijos; como ejemplo, se incluye la lista siguiente:

✓ **Valores sociales:** respeto a los demás, altruismo, cortesía, urbanidad, limpieza, orden.

✓ **Valores morales:** veracidad, generosidad, justicia, dominio propio, honestidad, caridad, bondad.

✓ **Valores religiosos:** creencias, amor a Dios, fe, esperanza, meditación en las Sagradas Escrituras, oración, culto individual y colectivo.

buena oportunidad para introducir e ilustrar aspectos de la condición humana, de los valores sociales o de Dios como creador. Los niños pequeños se benefician especialmente de estas lecciones objetivas y su aprendizaje redunda en un carácter sólido y estable.

• **Llevar a cabo algún proyecto humanitario en la familia.** La enseñanza de los valores se refuerza definitivamente con la práctica. Así, la familia que se propone la ayuda sistemática a ciertas personas con

• **Enseñar con el ejemplo.** La enseñanza de los valores debe hacerse por medio de la debida instrucción, explicaciones, razonamientos e ilustraciones. Pero, además, dichos valores tienen que ser demostrados de forma práctica por la propia conducta de los padres. La enseñanza preceptiva de conductas, como la honradez o el respeto mutuo, carecerían de validez si los padres practicasen lo contrario.

• **Aprovechar los ejemplos de la vida real.** Las noticias, los sucesos del vecindario o los ejemplos de la naturaleza constituyen una

necesidades o mantener un proyecto ecológico en beneficio del barrio, están no solo enseñando, sino también practicando y haciendo duraderos estos valores en cada uno de los miembros de la familia.

• **Usar la familia como plataforma de enseñanza de la religión.** Cuando los padres tienen una creencia religiosa, la familia es el principal medio de transmisión. Así, la oración en familia o la reflexión en grupo sobre textos sagrados, o la percepción de la mano de Dios en los sucesos del acontecer diario, se hacen habituales en la mente de los niños. De esa manera se desarrollan no solo en el conocimiento, sino también en la aplicación de principios que los harán personas más aptas para la convivencia.

La sexualidad en esta etapa

Según las encuestas realizadas a parejas con hijos, la actividad sexual se ve mermada con su presencia, cuando se compara con la etapa anterior. Es un hecho que la actividad laboral de uno de los padres, y a veces de los dos, se mantiene constante, añadiendo la atención, el tiempo y el cuidado que necesitan los hijos. Como resultado, muchos aspectos de la vida de casados se ven afectados y la sexualidad se encuentra entre ellos.

Ahora bien, esto no significa que la sexualidad tiene que perder calidad. Con planificación cuidadosa, puede mantenerse una vida sexual activa y satisfactoria durante esta etapa.

Ofrecemos a continuación una serie de sugerencias para mejorarla:

- **Usar un buen método anticonceptivo.** La sexualidad durante este periodo cuenta con fuentes de presión suficientes, y a esto no debería añadirse la ansiedad de un embarazo indeseado. Por tanto, si la familia se ha completado, la sexualidad debe estar libre de estos temores mediante la utilización del sistema anticonceptivo más adecuado. De esta manera, los encuentros sexuales serán más relajados, más completos, y con un alto nivel de satisfacción.

- **No obsesionarse con el sexo.** La presión social puede hacer pensar a muchos que el sexo es lo más importante y cuando no se lleva a cabo con mucha frecuencia se sienten frustrados. Pero la calidad es más importante que la cantidad. La sexualidad es más que una necesidad física; conlleva acercamiento emocional, amor, identidad, y afirmación mutua. El sexo es un aspecto de mucha importancia, pero no lo primordial.

- **Procurar que la relación sea óptima.** Los buenos momentos de sexo no ocurren por casualidad; son el resultado de una relación interpersonal satisfactoria. Las demostraciones de amor y cariño, la ternura, el interés mutuo son los verdaderos pilares que hacen del acto sexual algo memorable. Mientras que cuando hay resentimientos, sospechas, o indiferencia en la pareja, la sexualidad pierde todo aliciente.

- **Nutrir la autoestima.** Los sentimientos sanos hacia uno mismo son requisito previo para una sexualidad satisfactoria. La mujer, especialmente, necesita sentirse bien consigo misma para gozar de cualquier encuentro sexual. Es muy común que en su función de madre de niños pequeños y debido a su aumento de peso, se sienta menos atractiva sexualmente. Aquí necesita el apoyo de su esposo y sus palabras de alabanza y aprobación que edifiquen su autoestima y la predispongan a una mejor sexualidad.

- **Recordar las necesidades sexuales de ambos.** La satisfacción sexual del hombre no se alcanza por las mismas vías que la de ella, y viceversa. Por esta razón, el varón debe ser consciente de las necesidades de ella y la mujer de las de él.

- **Prevenir excesos laborales.** Tanto hombres como mujeres, cuando están involucrados en trabajo excesivo, pueden experimentar el síndrome llamado **deseo sexual inhibido o hipoactivo** (ver el cuadro de la página 139). La solución a este problema, en la mayoría de los casos, consiste en organizar la vida de forma que haya tiempo para trabajar y también para disfrutar de la familia, del cónyuge y de la sexualidad.

- **Reavivar las actividades románticas.** Aunque para el hombre esto puede resultar menos im-

CUATRO FACTORES BÁSICOS PARA UNA VIDA SEXUAL SATISFACTORIA

Concepto sano de uno mismo

Infinidad de estudios muestran una relación directa entre la autoestima y la vida sexual. Quienes cuentan con una idea aceptable de sí mismos dan y reciben placer con libertad y comodidad en el intercambio sexual. En cambio, los que poseen un sentimiento de inferioridad se sienten incómodos al recibir placer sexual de su compañero y, en muchos casos, les parece que no lo merecen. Por eso es recomendable nutrir el autoconcepto mutuamente. Esto hará los encuentros sexuales más satisfactorios.

Tiempo

El tiempo es necesario a la hora de llevar a cabo un encuentro sexual satisfactorio para ambas partes. Con los hijos en casa, se hace más difícil, por lo cual planificar juntos, apartar tiempo y designar el momento y lugar propicios es imprescindible. Esto facilitará que se le conceda tiempo suficiente, prolongando el juego sexual, tanto como sea necesario, para la satisfacción de ambos, y no se acabe haciendo el amor con prisas.

Libertad ante los mitos

Existen creencias sin fundamento científico que se aceptan y perpetúan, constituyendo obstáculos serios en la sexualidad. Por ejemplo: los hombres son siempre los iniciadores del juego sexual, el coito es el único medio de alcanzar satisfacción sexual mutua, corresponde a la mujer y no al hombre mostrar ternura en el juego sexual... La sexualidad es íntima y subjetiva. Los acuerdos mutuos, más que los mitos o la opinión pública, deben guiar las prácticas sexuales en el seno de la pareja (ver página 59).

Cooperación

Alcanzar altas cotas de satisfacción sexual en la pareja es asunto de dos. Es necesario dialogar abiertamente sobre las preferencias y necesidades mutuas, y sobre cómo satisfacerlas sin que una de las partes se sienta víctima. Por ello, es ideal dedicar tiempo al diálogo abierto y sincero en cuanto a la frecuencia y al modo de llevar a cabo la sexualidad.

portante, para ella es esencial. La mayoría de las mujeres necesitan romanticismo antes de mostrar apasionamiento. Por tanto, son recomendables las expresiones de cariño a través de tarjetas de felicitación, regalos sorpresa, cartas de amor... así como ciertas actividades que promueven el romanticismo: hacer una cena especial en un restaurante, ir al cine, realizar una escapada de fin de semana, o simplemente ir a la alcoba más temprano para charlar tranquilamente antes de hacer el amor.

Sumario de este capítulo

Tras la marcha de los hijos

5

AMPARO ACABA de cumplir los 55 años y habla de su sexualidad con satisfacción y naturalidad: «La vida sexual con mi marido es ahora mucho mejor de lo que fue hace años... quizá porque nos conocemos mejor o porque sabemos exactamente nuestras necesidades y preferencias. La verdad es que hacer el amor para nosotros es algo tan íntimo y tan placentero que no lo cambiaríamos por la pasión y el ardor de la época juvenil. Es difícil de explicar, pero nos sentimos muy, muy cerca el uno del otro.»

La vida durante estos años constituye una ocasión extraordinaria para la pareja. El tiempo para el ocio aumenta y pueden iniciarse proyectos en conjunto que proporcionen agrado y crecimiento mutuos. Surgen nuevas relaciones familiares: nueras, yernos, nietos... y también extrafamiliares: amigos, compañeros y otras parejas con quienes no había tiempo para relacionarse por la presencia de los hijos.

Aun cuando existen puntos delicados, cuya prevención y afrontamiento se explican en este capítulo, la presente etapa puede llegar a ser una fuente magnífica de dicha y satisfacción.

Características de la pareja tras la marcha de los hijos

- La mediana edad tiene el potencial de contarse entre **las etapas más felices** de la trayectoria del matrimonio.

- La pareja, tras la marcha de los hijos, corre el **riesgo** de experimentar una crisis matrimonial. Sin embargo, esta fase conlleva una serie de magníficas oportunidades para la vida en común.

- Los aspectos **negativos** del **síndrome del nido vacío** son **mínimos** comparados con las ventajas.

- Las **pérdidas sensoriales y motrices** en la mediana edad son paulatinas y relativamente pequeñas. Este proceso puede frenarse con el uso constante de estas facultades.

- A pesar de la publicidad que reciben, los efectos adversos de la **menopausia o el climaterio** solo alcanzan significativamente al **10%** de la población de esta edad.

- La **sexualidad** tras la marcha de los hijos ofrece nuevos horizontes a la pareja y puede resultar tan **satisfactoria** o más que en los años anteriores.

- La pareja tras la marcha de los hijos necesita un plan de **edificación mutua de la autoestima**.

- El **apoyo a otros**, especialmente a las generaciones jóvenes, es una tarea psicológica necesaria para la pareja de mediana edad.

La curva de la satisfacción matrimonial

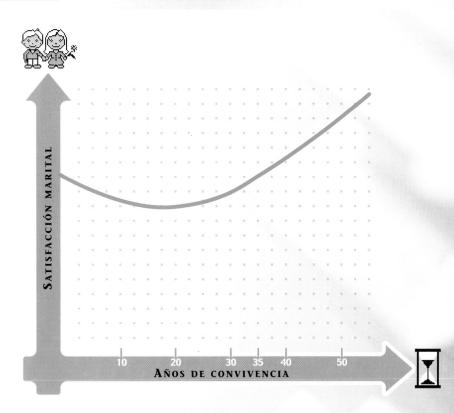

El nivel de satisfacción marital comienza en un punto alto después de la boda y sigue un ligero descenso a lo largo de los primeros veinte años de matrimonio. A partir de ahí, la curva inicia un ascenso paulatino que, en algún momento, en torno a los 35 años de matrimonio, llega a superar el nivel inicial. El descenso se explica por los problemas de convivencia, dificultades económicas y profesionales, advenimiento de los hijos, problemas derivados de los mismos, etcétera. El ascenso comienza con la marcha de los hijos, lo cual proporciona nuevas perspectivas a la pareja.

Nota: Esta curva proviene de los datos de un estudio dirigido por Orbuch (Orbuch, T. L. et al., 1996). Hemos de advertir que a pesar de ser una investigación metodológicamente impecable y con muy amplia participación (9.000 hombres y mujeres), este estudio se llevó a cabo en Norteamérica y cualquier generalización a otras zonas geográficas debe hacerse con cautela. En cualquier caso, puede darnos una idea aproximada de la posible evolución de las parejas en otros países industrializados.

El síndrome del nido vacío

La expresión *"síndrome del ni-do vacío"* se refiere precisamente a la etapa que nos ocupa en este capítulo. Con la marcha de los hijos por razones de estudio, traba-jo, matrimonio o simple-mente por deseo de emanci-pación, pueden aparecer ciertos síntomas en uno o en ambos progenitores:

- malestar o cansancio sin razón aparente,
- sensación de vacío,
- desorientación en cuanto a las metas y objetivos de la familia,

- crisis en la relación marital,
- signos de depresión.

Lo cierto es que los estudios realizados pa-ra verificar esta creencia no han podido de-mostrar que los síntomas propios de este denominado "síndrome" sean ciertos en la mayoría de los casos. No obstante, se ha ob-servado que existe una relativamente *alta in-cidencia de divorcio en esta etapa*. De he-cho, después de los primeros ocho o diez años de matrimonio, que cuentan con el más alto índice de divorcios, esta etapa se coloca en segundo lugar.

¿Cómo se explican estos datos? La mayoría de los especialistas coinciden en interpretar los hechos diciendo que el efecto del nido vacío tiene una doble vertiente, dependiendo de la calidad de la relación matrimonial:

1. **La crisis del nido vacío:** Afecta a ciertos matrimonios que cuentan con serios pro-blemas de relación arrastrados du-rante años. Estas parejas escogen evitar los pasos hacia el divorcio por causa de los hijos. Durante años viven en conflicto, inten-tando mantener sus problemas ocultos de cara al exterior y de cara a los hijos. Llegado el mo-mento cuando los cónyuges se encuentran solos, cara a cara, la escisión se hace inevitable.

2. **El desahogo del nido holgado:** Ocurre en los matrimonios sólidos, que han disfrutado durante décadas de una relación sana y equilibrada. En estos casos, la marcha de los hijos supone una oportunidad extraordinaria para profundizar y expandir la relación. Con la autonomía de los hijos, pueden disfrutar de lleno de la compa-ñía mutua; algo así como una se-gunda luna de miel.

Por tanto, atribuir a la marcha de los hijos los problemas ocultos y de raíces antiguas es un error que pone en alerta inne-

cesaria a muchas parejas. Estas, creyendo hallarse en peligro inminente de ruptura, pueden sentirse empujadas hacia la crisis por el efecto de este prejuicio.

Opciones positivas de esta etapa

Proponemos mirar a esta etapa con confianza, examinando las variadas opciones positivas que se abren en el nuevo horizonte:

- Aumento del **tiempo libre** y de la **libertad** para iniciar nuevas actividades por separado y en conjunto.

- **Alivio del trabajo** y preocupaciones que conllevan los hijos cuando viven bajo el mismo techo que los padres.

- Oportunidad de desarrollar una **red social** más amplia.

- **Mayor capacidad económica** para llevar a cabo proyectos una y otra vez postergados por falta de medios.

- Especialmente en la **mujer**, una **liberación** de la típica actitud de poner a los hijos en primer lugar para todo.

- En la mujer que no trabajó fuera de casa, una ocasión de expandir sus **horizontes laborales** en algo que le proporcione satisfacción e ingresos.

Uno de los nuevos fenómenos de los países industrializados es el efecto de los **hijos *boomerang***. Curiosamente, después del presunto "trauma" de la marcha de los hijos, estos regresan al seno del hogar paterno. La razón es eminentemente práctica: terminados los estudios o el contrato de trabajo, el hijo o la hija vuelve a casa a residir indefinidamente mientras se presenta la próxima oportunidad. Esto también se aplica a hijos que fracasan en el ma-

trimonio y vuelven a vivir en la casa paterna, a veces con sus propios niños. Aunque el amor y el compromiso de los padres hacia los hijos cubren toda inconveniencia, esta circunstancia puede obstruir el desarrollo personal de la pareja e imponer una moratoria a los planes de los padres.

Por otra parte, al pasar mucho tiempo juntos y sin hijos se ponen de manifiesto ciertos rasgos de la personalidad, que por el ajetreo del pasado no habían supuesto un problema. Es el caso del cónyuge hablador y del silencioso, como muestra el cuadro *"El Consejo del Psicólogo"* de la página 109.

Mejor es prevenir

Hay casos en los que, aun con un buen matrimonio, pueden darse los indicadores de la crisis del nido vacío. Esto es común en los progenitores dados a la **sobreprotección de sus hijos**. Dichos padres mantienen una metodología de excesivo cuidado y protagonismo en la vida de los hijos, ya crecidos, impidiéndoles tomar sus propias decisiones.

Para la **prevención de problemas frente a la marcha de los hijos** hemos de aceptar que la misión de los padres es ayudarlos a madurar y a alcanzar su independencia. Es un proceso paulatino, pero inevitable en la formación del ser humano. Recomendamos dos líneas de acción:

1. A medida que los hijos van creciendo en el seno familiar, ***permitirles tomar sus decisiones*** (aun cuando se ofrezcan orientaciones paternas) y afrontar sus consecuencias.

2. Una vez fuera de casa, ***continuar la relación positiva y afable***, pero sin tratar de gobernar su vida y la de sus nuevas familias.

Esta actitud ayudará a los padres a apreciar y aceptar las diferencias entre sus opiniones, decisiones y conductas, y las de sus hijos.

Tras la marcha de los hijos... mantén tu pareja unida

El mayor número de rupturas matrimoniales sucede después de los primeros ocho o diez años de convivencia. A continuación se encuentra la etapa que sucede a la marcha del último hijo. Maggie Hayes estudió este fenómeno para saber por qué la gente se divorcia a esta edad y poder así contar con modos de prevenirlo (Hayes, M. P., 1979).

Estas son las razones predominantes:

- Falta de actividades en conjunto, de trato.
- Falta de comunicación a todos los niveles.
- Desequilibrio en la toma de decisiones, generalmente dominio del varón.
- Absorción en el trabajo.
- Infidelidad conyugal.
- Crisis ocasionadas por la edad (menopausia, climaterio).

Prevé los problemas...

Para mantener el matrimonio unido y satisfecho, se nos ofrecen los siguientes consejos:

- **Sentar prioridades para la pareja**. Dando a la familia, al trabajo, etcétera lo que les corresponde, los cónyuges deben tener sus ocasiones fijas y especiales para estar juntos y realizar actividades en común. Esto debe mantenerse en la lista de prioridades.

- **Considerar el principio de igualdad como meta**. Ambos cónyuges deben considerarse importantes en la relación, ambos deben sentir que cuentan con el control suficiente.

- **Mantener equilibrio entre el crecimiento personal y el de pareja**. No se debe permitir el individualismo que cuida de cada cual, sin considerar la unidad del matrimonio. Pero el extremo de fundir las personalidades de modo que no quede identidad individual es también peligroso.

- **Llevar a cabo una sexualidad de calidad**. La sexualidad de la pareja de edad mediana es favorable, pero conlleva cierta medida de esfuerzo y planificación.

- **Tratar con otras parejas**. Ahora que se cuenta con más tiempo y libertad, se puede profundizar la amistad con parejas que, como vosotros, trabajan para mantener un matrimonio de éxito.

- **Añadir "chispa" al matrimonio**. Algunos consideran que cambiar de pareja es un buen método para añadirle algo de "chispa" a su vida. Esto, aparte del dolor que siempre entraña una ruptura, encierra peligros e incertidumbres que pueden crear situaciones muy complicadas. Es preferible, con mucho, mejorar el estilo de la relación ya existente, hacer algo nuevo con tu compañero/a y estimular así la convivencia.

- **Prevenir la infidelidad**. La clave de un matrimonio feliz es que ambos encuentren en él satisfacción. En el capítulo siguiente, en la página 131, el cuadro titulado *"Cómo mantener la fidelidad"* te dará ideas para conseguir este fin.

«Mi marido apenas me habla»

Yo soy muy habladora y, como es natural, me gusta charlar con mi marido. Ahora que nuestros hijos ya no viven con nosotros, deberíamos charlar mucho más él y yo... Sin embargo, cuando llega del trabajo, habla poco y luego se pone a leer o a clasificar papeles. Y a veces se está sin hablar dos o tres días. Después vuelve a lo normal, que es hablar algo, pero poco. ¿Qué puedo hacer para que hable más?

Es muy posible que por naturaleza tu marido sea poco hablador y el esfuerzo que ha de hacer para mantener una conversación es superior al tuyo. Por otra parte, los hombres tienden a usar menos palabras que las mujeres. Algunos estudios muestran que el número medio diario de palabras es de 25.000 en la mujer, mientras que el hombre emite unas 12.500.

Por otra parte, las preferencias en la conversación de hombres y mujeres difieren considerablemente. Las mujeres gustan de hablar de asuntos subjetivos y personales: cómo ven ellas las cosas y qué opinan de lo que hacen los amigos, los familiares, los vecinos, la gente de fama, etcétera. Mientras que los hombres prefieren charlar sobre temas objetivos e impersonales: política, deportes, problemas sociales, etcétera.

Tus expectativas, por tanto, deberían ser moderadas. No obstante, he aquí algunos consejos:

- **No lo atosigues pidiendo y rogando que hable más.** A veces, las personas, y especialmente los varones, buscan la solución a algún malestar psicológico guardando silencio. Puede ser el caso de tu marido cuando durante dos o tres días no habla y luego vuelve a la normalidad. No fuerces las situaciones durante estos momentos.

- **Sácalo de casa para favorecer la conversación.** Sugiere salir a dar un paseo, donde a él le guste más, para que se encuentre relajado y participe en la conversación.

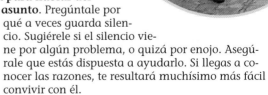

- **Entérate bien de cuáles son los temas que le agradan.** Saca los temas que él preferiría. Es difícil para una persona de pocas palabras participar en conversaciones que le son tediosas.

- **Cuando se presente un buen momento, aprovecha para hablar del asunto.** Pregúntale por qué a veces guarda silencio. Sugiérele si el silencio viene por algún problema, o quizá por enojo. Asegúrale que estás dispuesta a ayudarlo. Si llegas a conocer las razones, te resultará muchísimo más fácil convivir con él.

- Y cuando finalmente logres que él hable un poco más de la cuenta, alégrate y **muéstrale tu satisfacción** para que él continúe en esa línea de progreso.

La mediana edad: crisis y oportunidades

Se ha comparado la mediana edad (40-65 años) con la adolescencia (12-18 años). Ambas cuentan con tensiones y presiones, cambios y alternativas, pero también con amplias oportunidades y un abanico de opciones con salidas interesantes.

Pueden desencadenar una crisis...

En efecto, la pareja en esta etapa vital ha de hacer frente a un número de **retos** que pueden desencadenar una crisis:

1. **La marcha de los hijos**. Durante dos décadas o más, la pareja ha dedicado una gran parte de sus esfuerzos y recursos a los hijos. Desde la primera infancia, con su cuidado físico constante, hasta la etapa de estudios, trabajo o elección de cónyuge, los padres han participado de lleno hasta lanzar a sus hijos a vivir por sí solos. Concluido ese esfuerzo, padres y madres se preguntan cuál es el nuevo propósito de su vida.

2. **La menopausia y el climaterio**. Los cambios hormonales en hombres y mujeres traen consigo variaciones en la sexualidad, en la vida emotiva, en el aspecto físico... Esto recuerda a la pareja la edad que tienen y el hecho de haber ya pasado el ecuador de la vida.

3. **El riesgo de inestabilidad marital**. Para muchas parejas, especialmente las que han sido turbulentas en el pasado, esta etapa puede abrir una crisis matrimonial. Al quedarse solos, las diferencias, las asperezas, las frustraciones emergen y el matrimonio habrá de pasar por una dura prueba.

4. **La pérdida de los padres**. Muchas parejas a esta edad han de vivir el desenlace con la generación anterior. La muerte de padres y suegros es una experiencia estresante por sí

sola. Y si ha ido acompañada de larga enfermedad con gran inversión de energía física y psicológica, la aflicción se une al estrés acumulado y el trago es aún más difícil.

Una etapa llena de nuevas oportunidades

Por fortuna, estos aspectos son susceptibles de preparación, confrontación y solución. Roger Gould es uno de los pioneros en la investigación de la etapa humana de la mediana edad, y concluye que se trata de un tiempo de satisfacción y de aceptación de los logros personales (Gould, R. L., 1975, 1979 y 1993). Para la pareja, esta etapa ofrece oportunidades muy atractivas:

1. **Una circunstancia liberadora**. La marcha de los hijos no tiene por qué ser causa de crisis. Antes bien, debe desencadenar una fuerte sensación de liberación y de fase con-

cluida. Haber lanzado a los hijos a la vida es la culminación de años de esfuerzo y dedicación; claramente un logro. Ahora los padres cuentan con más movilidad, más tiempo, más dinero y más estabilidad en el hogar. Es el momento de llevar a cabo en conjunto proyectos, viajes, deseos... imposibles de realizar en el pasado.

2. **Una etapa de placer e intimidad**. La menopausia y el climaterio no deben ser barrera para progresar en la relación conyugal. Todo lo contrario, marido y mujer han de sentirse amantes como lo fueron de recién casados. Quedó atrás la planificación familiar, la menstruación, la intensa ocupación y preocupación por los hijos... Con la esperanza de vida de nuestros días, una pareja de 50 años de edad bien puede contar con treinta años más de matrimonio feliz. Es hora, pues, de invertir tiempo, ilusiones y planes de futuro en el matrimonio.

3. **Una etapa de estabilidad**. Aunque para las relaciones problemáticas, el matrimonio será puesto a dura prueba, las parejas que cuentan con un fundamento sólido, no solo se mantienen a partir de la marcha de los hijos sino que ganan en estabilidad y en satisfacción personal.

4. **Un rejuvenecimiento familiar**. Aunque la pérdida de padres y suegros supone una experiencia dolorosa, el advenimiento de los nietos es una fuente incalculable de satisfacciones. También esta etapa abre un nuevo horizonte en el ámbito de las relaciones familiares. Es el momento de ampliar y profundizar el trato con los hijos y sus cónyuges. Ayudarles y orientarles a resolver sus problemas del presente y a esbozar los planes de futuro para ellos y sus hijos. También contamos con más tiempo para explorar otras relaciones familiares. Y en cuanto a los demás vínculos sociales, es la oportunidad para procurar la amistad de otras personas, especialmente parejas de la misma edad también ocupadas en la emocionante tarea de seguir edificando el matrimonio.

En suma, hemos de reconocer que este momento en la vida de la pareja ofrece una doble vertiente. La mediana edad puede constituir un tiempo confuso y turbulento... pero también llegar a ser una experiencia gozosa y llena de oportunidades para el matrimonio. *Todo depende de lo que escojamos.*

En preparación para esta maravillosa etapa, invitamos al lector a aprender cuáles son las razones por las que los matrimonios fracasan tras la marcha de los hijos y también a seguir los consejos que ayudarán a fortalecer el matrimonio durante estos años.

Un ámbito importante a tener en cuenta es la **comunicación** en pareja. Ya se indicaron en el capítulo 3 (págs. 62-67), las pautas a seguir con el fin de llevar a cabo una buena comunicación en general. Ahora bien, al llegar a esta etapa avanzada de la relación, han de examinarse detalles más intrincados en el diálogo entre marido y mujer. El cuadro *"Observa el lado positivo de tu cónyuge"*, en la página 69, muestra cómo la actitud de quien escucha puede hacer variar el diálogo de manera significativa.

Cambios físicos y salud

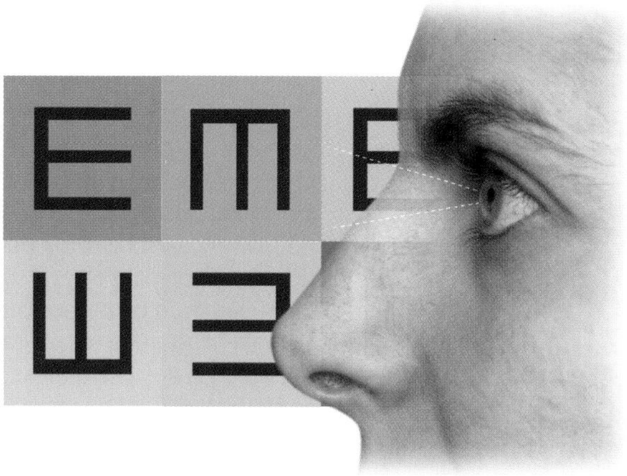

La marcha de los hijos acontece a una edad que, dependiendo de cada circunstancia personal o de las costumbres culturales, varía mucho. No obstante, la mayoría de los matrimonios ve a sus hijos marchar cuando los padres tienen entre 45 y 55 años.

Esta edad precisamente se caracteriza por la iniciación de cambios físicos de importancia. Estos suelen ocurrir gradualmente, así que no existe una percepción notable de las pérdidas que conllevan.

Agudeza visual

La agudeza visual experimenta pérdidas en las áreas siguientes:

- la vista de cerca,
- la vista de objetos o mensajes en movimiento,
- la vista nocturna,
- la búsqueda visual en medio de otros estímulos,
- la velocidad para procesar información visual.

Con mucha variación de persona a persona, estos cambios comienzan entre los 40 y los 50 años llegando a una pérdida de cierta importancia (necesitando algún tipo de corrección) a la edad de 60 años. Con el uso de lentes progresivas se añade comodidad, al no tener que utilizar varias gafas para diversas funciones.

Capacidad auditiva

También existe una pérdida gradual de la audición, que se acelera entre los 50 y los 60 años. Se estima que para la edad de la jubilación el 25% de la población ha sufrido pérdidas significativas de oído (Merrill, S. S. y Verbrugge, L. M., 1999). La incidencia es el doble en los varones que en las mujeres. Este problema puede en parte prevenirse evitando exponerse a ambientes de mucho ruido o utilizando tapones protectores o auriculares cuando el ruido es inevitable. La salud auditiva de los jóvenes está en mayor peligro que en generaciones pasadas por exponerse con frecuencia a música a muy alto volumen, incluida la asistencia a discotecas y a conciertos de grupos musicales (Wallhagen, M.I. *et al.*, 1997).

Menopausia y climaterio

Las características y síntomas enumerados en este cuadro no se aplican a la totalidad de la población de mujeres y hombres de mediana edad. De hecho, la mayoría experimenta estos cambios hormonales de forma leve. Para la pareja, menopausia y climaterio marcan el inicio de una mayor libertad en sus relaciones sexuales, sin riesgo de embarazo. Asimismo, al asociar estos acontecimientos con la marcha de los hijos, los casados experimentan una gran sensación de libertad general.

Menopausia (mujer)

El organismo reduce la secreción de estrógeno y de progesterona, ocasionando, a veces, los síntomas siguientes:

- sensación de calor
- dificultad urinaria
- irritabilidad
- dolor de cabeza
- síntomas depresivos
- disminución de la secreción vaginal
- pérdida de la fertilidad
- aumento de peso
- riesgo de osteoporosis

Climaterio (varón)

El organismo reduce la secreción de andrógeno y testosterona, ocasionando, a veces, los síntomas siguientes:

- ansiedad
- irritabilidad
- insomnio
- fatiga
- pérdida de memoria
- síntomas depresivos
- disminución de la fertilidad
- reducción de masa muscular y ósea
- alopecia

El olfato y el gusto

El olfato y el gusto van perdiendo precisión poco a poco. Esto hace que las personas que se aproximan a la edad de jubilación encuentren las comidas insípidas. La capacidad para detectar sabores amargos, salados, picantes y agrios comienza a debilitarse, pero no la capacidad de saborear lo dulce. Estos cambios deben alertar a las personas a no caer en cambios indeseables en sus **hábitos de alimentación**, tal como echar demasiada sal o ciertas especias a las comidas

para acentuar su sabor. El gusto puede educarse sometiéndose a sabores sencillos durante un periodo prolongado de tiempo hasta que las terminales nerviosas lleven el mensaje preciso al centro cerebral gustativo.

Las diversas funciones psicomotrices comienzan a verse afectadas a esta edad. La coordinación y la fuerza musculares empiezan a perder capacidad pasados los 30 años, pero el descenso es inapreciable. Sin embargo, entre los 45 y los 60 años se pierde el 10% de estas habilidades (Merrill, S. S. y Verbrugge, L. M., 1999). Como la proporción de grasa a esta edad llega al 20% o más (siendo del 10% en la adolescencia), una dieta pobre en grasa, acompañada de ejercicio físico, puede retardar esta pérdida durante muchos años.

Resistencia física

Por su parte, la resistencia física disminuye, pero en medida menor que la fuerza a la misma edad. Esta pequeña pérdida puede compensarse con la práctica física. Por ejemplo, un atleta que haya hecho diez kilómetros de carrera diariamente durante años, no tiene por qué fatigarse más al llegar a los 60 años. El secreto está en no dejar de practicar la destreza.

Los reflejos

Los reflejos disminuyen considerablemente (un 20% al llegar a los 60). Sin embargo, la habilidad general para realizar tareas que requieren reflejos no disminuye, especialmente si existe una práctica constante. Por ejemplo, un buen mecanógrafo de 20 años no es mejor que uno de 60. Lo mismo ocurre con la habilidad para conducir vehículos o manejar maquinaria. Se entiende que

la pérdida de reflejos se compensa con la larga experiencia que habilita al sujeto a predecir los movimientos con exactitud.

Menopausia y climaterio

Un paso obligatorio de la edad mediana en la mujer es la menopausia, que en el varón recibe el nombre de climaterio para describir el proceso equivalente. Se caracteriza por los **cambios hormonales** (véase el cuadro de la página anterior). Estos producen **alteraciones psicológicas y fisiológicas** de menor magnitud en la mayoría de las personas y con efectos de importancia en una minoría (el 10% de la población aproximadamente).

En la mujer se considera un momento preciso que ocurre un año después de la última menstruación, normalmente entre los 45 y 55 años, siendo 51 la edad promedio. En el hombre, estos cambios son mucho más imprecisos con una variación más amplia.

La tradición y la publicidad han enfatizado demasiado los aspectos negativos de la menopausia. De acuerdo a esa visión despectiva, se esperaría que toda mujer ha de ser sacudida por cambios severos en su fisiología y sometida a presión psicológica constante.

La realidad es que la mayoría de las mujeres contemplan la menopausia como una transición y no como una crisis o enfermedad. A pesar de que muchas experimentan los síntomas enumerados en el cuadro de la página anterior, esto no altera sus relaciones maritales, sociales o profesionales. Es más, muchas mujeres contemplan este paso como un alivio por dejar atrás la menstruación y la fertilidad, pero no la sexualidad.

Cambios estructurales en la menopausia

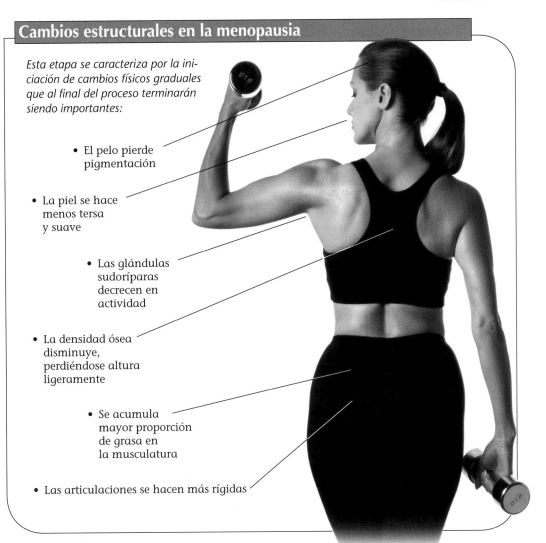

Esta etapa se caracteriza por la iniciación de cambios físicos graduales que al final del proceso terminarán siendo importantes:

- El pelo pierde pigmentación
- La piel se hace menos tersa y suave
- Las glándulas sudoríparas decrecen en actividad
- La densidad ósea disminuye, perdiéndose altura ligeramente
- Se acumula mayor proporción de grasa en la musculatura
- Las articulaciones se hacen más rígidas

Un proceso normal

¿Cómo afectan a la salud general todos los datos hasta aquí expuestos? La respuesta es esperanzadora. Las variaciones descritas son parte del proceso normal de evolución y, salvo en ciertos casos, no deben afectar a la vida normal en cuanto al trabajo, el ámbito social, o la pareja.

Existen, no obstante, **riesgos de salud** que tocan de manera especial a las personas de edad mediana. Se trata de las complicaciones cardíacas, el ataque cerebral, y el cáncer. Estas enfermedades, con frecuencia letales, tienen mucho que ver con el **estilo de vida**. Es, pues, de extrema importancia tomar muy en serio los principios básicos de salud: alimentación simple, sana y equilibrada; ejercicio físico regular; agua y aire puros; abstinencia de tabaco, alcohol y otras drogas; descanso adecuado y paz mental.

La sexualidad en la madurez

Muchas encuestas muestran que los encuentros sexuales en parejas de mediana edad mejoran con respecto a los años anteriores. En efecto, las preocupaciones de un embarazo indeseado, las interrupciones por la presencia de los hijos, y la falta de tiempo constituyen barreras importantes para una sexualidad plena. Ahora, con la ausencia de estos obstáculos, la sexualidad puede adquirir un papel más prominente y satisfactorio.

Sin embargo, se ha de admitir que, con la mediana edad, van apareciendo ciertos **cambios fisiológicos** en la estructura y función de los órganos sexuales.

Cambios en la mujer

- La excitación sexual no es tan intensa.
- El orgasmo sobreviene menos frecuentemente y no es tan prolongado.
- La vulva pierde consistencia.
- La vagina se contrae y su elasticidad queda mermada.
- La lubrificación vaginal disminuye durante el coito.

Cambios en el hombre

- Disminuye la cantidad de semen.
- Decrece la fuerza de eyaculación.
- Los testículos reducen su tamaño y firmeza.
- La erección es menos frecuente y menos rígida.
- El orgasmo tarda más tiempo en consumarse.

Estas variaciones aparecen de forma paulatina a lo largo de varios años, lo cual facilita su aceptación. Como resultado de estos cambios incipientes, la cantidad de los encuentros sexuales puede disminuir ligeramente. En cuanto a la calidad, no tiene por qué decrecer en lo más mínimo.

Para la pareja que ha llevado una vida sexual activa durante **20 o 30 años**, esta etapa debería anunciar **los mejores momentos**. La mejoría sexual parece más patente en las mujeres (siempre que se hallen en una buena relación matrimonial) que en los hombres. A esta edad, la mujer conoce bien sus necesidades sexuales y, por su madurez, puede expresarlas más abiertamente a su compañero. Se siente más segura en iniciar el juego sexual y, dado el menor apresuramiento-impaciencia del varón, la pareja puede prolongar más el encuentro sexual. Además, como ahora el hombre necesita más tiempo para alcanzar el orgasmo, la mujer cuenta con mayor facilidad para experimentar el suyo propio, que siempre requiere un preámbulo más prolongado.

En conclusión, si entendemos la sexualidad no solo como medio de procreación, sino también como medio de expresión y goce mutuo, podemos decir que en esta etapa la sexualidad cumple una función destacada de acercamiento, placer y goce mutuo. Esta condición facilita nuevas oportunidades de exploración y nuevos horizontes en la vida sexual de la pareja tras la marcha de los hijos.

La autoestima

Carlos y Puri llevan casados 25 años y tienen hijos ya mayores que viven fuera del hogar paterno. Su relación siempre ha sido satisfactoria. Puri es una mujer capaz, pero tiene tendencia a la **inseguridad**, debido precisamente a su baja autoestima, que ha empeorado con la marcha de los hijos: ahora no se siente tan útil e imprescindible como cuando los hijos vivían en casa.

Cuando se halla en un grupo, aun de gente conocida, le resulta muy difícil hablar. Si le preguntan algo, se pone **nerviosa**, a veces se sonroja. Su marido en silencio se pregunta: «¿Por qué se azara y hasta parece tartamudear cuando habla a la gente, si ella jamás hace eso conmigo o en un círculo pequeño?»

La otra noche se quedaron hablando hasta tarde. Puri sacó el tema de su inseguridad, pero no sabía con exactitud la razón del problema. Aunque sí dijo que creía tener miedo a que se descubriese su ignorancia. Después mencionó que **temía** ser el punto de mira de la gente porque se darían cuenta de sus caderas tan pronunciadas.

Carlos, asombrado por estos razonamientos, le aseguró con convicción que él la tenía por una mujer de tal inteligencia que siempre confiaba en su parecer a la hora de tomar decisiones importantes, que las cosas siempre habían ido bien en la familia gracias a su iniciativa y a su claridad de pensamiento. Y en cuanto a las caderas, Carlos declaró que en eso ella mostraba una cierta ofuscación. Hablaron de este asunto en otras ocasiones y Puri empezó a sentirse mejor.

Los efectos de estas "sesiones psicoterapéuticas" no se dejaron esperar. En los próximos encuentros entre amigos, Puri comenzó a hablar equilibrada y tranquilamente.

Con esta experiencia, Carlos descubrió cómo *el concepto de uno mismo cambia por la influencia de otros*. Cuidadosamente, se encargó de hacer **comentarios positivos** aquí y allá y observó cómo Puri se deshacía de sus inseguridades de manera asombrosa.

Poseer una autoestima adecuada o, por el contrario, vivir en la creencia de que uno es inferior, **puede *afectar decisivamente* a la relación matrimonial**. Las **personas con un autoconcepto ajustado** cuentan con:

- Mayor facilidad para las relaciones interpersonales.
- Mayor capacidad para la comunicación.
- Menor susceptibilidad a sentirse heridas por la crítica ajena.
- Menor preocupación consigo mismas que las personas con un mal autoconcepto.

Por su parte, el **miembro de la pareja con un bajo concepto de sí mismo**, posee una **necesidad insaciable de afecto** y duda que el amor de su compañero/a sea auténtico.

El tipo de relación en la pareja está ligado a la calidad de autoestima. En la página 72 se describe la tipología propuesta por Crosby. Ahí se observa que la relación conyugal más deseable es la interdependiente, basada en el apoyo mutuo y en una autoestima sana en ambos componentes.

El justo concepto de uno mismo afecta a muchas áreas de la vida en pareja. He aquí las más relevantes:

1. **Las tareas habituales**. La esposa que es sinceramente elogiada por su marido contará con el estado de ánimo y energía suficientes para realizar su trabajo cabalmente. Por su parte, el esposo admirado por su mujer cuenta con altas probabilidades de éxito en sus obligaciones.

2. **El cuidado y las atenciones mutuas**. Los pequeños detalles de cariño y aten-

Cómo se nutre la autoestima

La formación de la autoestima en varones y mujeres difiere considerablemente. Esto es debido fundamentalmente a motivos sociales. Aunque la igualdad entre hombres y mujeres se está consiguiendo en una veintena de países, más del 90% de la población mundial vive en circunstancias que no permiten a las mujeres desempeñar un papel relevante en sus comunidades. De aquí se deduce la importancia que el esposo tiene en la edificación del autoconcepto de ella, especialmente en las sociedades donde no existe igualdad.

En las mujeres

- Por el ejercicio profesional, aunque en muchas sociedades las oportunidades son limitadas.
- Por la crianza de los hijos y las tareas domésticas.
- Por medio de sus amigas y familiares allegados y también por sus colegas.
- Por su belleza (frente a la inteligencia).
- Por acción de su esposo.

En los hombres

- Por el ejercicio de su profesión u oficio.
- El profesional de éxito tiende a sentirse bien consigo mismo.
- Por la influencia de sus colegas, clientes, superiores o subordinados.
- Por su inteligencia (frente al atractivo físico).
- Por acción de su esposa, aunque esta suele pasar a un segundo plano si se compara con la influencia del área profesional.

ciones en la pareja son elementos decisivos para el éxito en la convivencia. Pero estas acciones simples se hacen difíciles cuando existen sentimientos de inferioridad. Así se entra en un círculo vicioso en el que el poco amor por uno mismo impide las demostraciones de amor hacia el otro.

3. **La sexualidad**. La mujer de autoestima pobre se siente explotada y cree que el único propósito de la intimidad sexual es satisfacer los deseos de él. Tiende también a sentirse culpable e inmerecedora cuando recibe placer sexual. Por su parte, el varón con un autoconcepto deficiente desea compensar su inferioridad probando que es viril.

4. **El abuso/maltrato conyugal**. Con frecuencia, el marido que se siente inferior ejerce violencia contra su esposa para obtener mayor control y alcanzar una sensación de poder y dominio sobre ella. Por su parte, la mujer víctima, si cuenta con una autoestima pobre, se somete resignadamente al maltrato por sentir íntimamente que no merece otra cosa.

5. **Los celos**. La autoestima pobre y la inseguridad personal constituyen en muchos casos el origen de los celos infundados. Solo quienes se sienten inferiores acaban obsesionándose con la infidelidad de su compañero/a.

6. **La percepción de uno mismo**. El integrante de la pareja que se considera feo o torpe puede no serlo en realidad, pero su creencia determina conductas que complican las relaciones.

TEST DE AUTOESTIMA

Haz un círculo alrededor del número que mejor se ajusta a tu experiencia, de acuerdo a la siguiente equivalencia:

N-Nunca   CN-Casi Nunca   F-Frecuentemente   CS-Casi Siempre   S-Siempre

	Nunca				Siempre
	N	CN	F	CS	S
1. Aunque no me considero perfecto/a en cuanto al físico, me siento satisfecho/a con mi apariencia.	0	1	2	3	4
2. Cuando contemplo el atractivo físico de los modelos publicitarios, actores, etcétera me siento inferior.	4	3	2	1	0
3. Aunque susceptible de expansión, estoy a gusto con mi capacidad para resolver problemas.	0	1	2	3	4
4. Pienso que soy lento/a y torpe a la hora de aportar soluciones a las dificultades.	4	3	2	1	0
5. Cuando llevo a cabo una tarea bien hecha, sé reconocer mi esfuerzo y valor personales.	0	1	2	3	4
6. Si algo me sale muy bien, pienso que se debe a las circunstancias, al esfuerzo de otros o a la casualidad.	4	3	2	1	0
7. Cuando fallan mis planes, evito autoculparme y busco explicaciones en las causas ajenos a mí.	0	1	2	3	4
8. Cuando fallan mis planes, me considero responsable exclusivo del fracaso.	4	3	2	1	0
9. Cuando trato con mis compañeros/colegas me siento igual a ellos.	0	1	2	3	4
10. Tiendo a sentirme inferior frente a mis compañeros y amigos.	4	3	2	1	0
11. Entiendo que hay personas a quienes les agrada mi compañía y valoran mis cualidades.	0	1	2	3	4
12. Tengo la sensación de que cuando alguien me visita lo hace por cortesía y no porque realmente disfrute de mi presencia.	4	3	2	1	0
13. Me es agradable recibir elogios sinceros de otras personas.	0	1	2	3	4
14. Cuando otros elogian algo que he hecho bien, me apresuro a desmentirlos o me siento culpable de sus alabanzas.	4	3	2	1	0
15. Trato de guardar buenos recuerdos del pasado y evito preocuparme por el futuro.	0	1	2	3	4
16. Me molestan los sucesos adversos del pasado y contemplo el futuro con incertidumbre.	4	3	2	1	0
17. Si presento ante otros mis valores y principios personales, lo hago con naturalidad y sin avergonzarme.	0	1	2	3	4
18. Cuando hablo a los demás de mis ideas y opiniones temo que me rechacen si ellos no piensan como yo.	4	3	2	1	0

INTERPRETACIÓN

Para conocer tu nivel de autoestima, suma todos los números marcados para obtener la puntuación total. A continuación mira la interpretación correspondiente:

Si tu puntuación es de MENOS DE 32... tu nivel de autoestima es muy bajo. Realmente necesitas revisar tus capacidades y logros y reconocer tus valores personales. Dejar las cosas como están supone que tu satisfacción personal, tu trabajo, y tu ámbito de relaciones sufran considerablemente. Busca ayuda y confía en un amigo/a o profesional de la salud mental para salir de esta situación.

Si tu puntuación está ENTRE 32 Y 41... tu nivel de autoestima es pobre y es necesario que procures enriquecerlo alejándote de quienes te critican o desprecian y acudiendo a las personas que te aprecian. Quizá tu cónyuge está contribuyendo en parte a esta situación. Habla con él/ella en un buen momento y muestra tu preocupación y anímalo/a a que haga comentarios más edificantes.

Si tu puntuación está ENTRE 42 Y 59... estás en el nivel promedio de autoestima, es decir, la mayoría de las personas puntúan en esta zona. Sin embargo, la mayoría de ellas puede mejorar este aspecto de su autopercepción y ayudar al cónyuge a mejorar el suyo. Lee los consejos de este capítulo, especialmente en la página 119, y practícalos. Verás cómo alimentando la autoestima de tu pareja harás que la tuya también mejore.

Si tu puntuación está ENTRE 60 Y 68... puedes considerarte con una autoestima sana, sin complejos, sin dudas sobre ti mismo/a. Ten cuidado, no obstante, en no llegar al extremo de la arrogancia o la autosuficiencia.

Si tu puntuación es SUPERIOR A 68... quizá estás en una situación delicada por lo extremo de tu puntuación. Es deseable tener un buen concepto de sí mismo, pero cuando este se acerca a la línea de "perfección", resulta conveniente administrarse una dosis de humildad porque, al fin y al cabo, nadie es perfecto.

Sumario de este capítulo

Crisis en la pareja

6

CARLOS Y PATRICIA llevan ya cinco años casados. Cada cual tiene su empleo y sus objetivos profesionales y, en eso, todo parece ir bien. Pero cuando están en casa, tienen grandes peleas.

Carlos se queja de que su mujer es demasiado sensible y emotiva; le da mucha importancia a las cosas triviales, a los detalles... Él quisiera que ella fuera abierta y directa expresando lo que quiere, en vez de esperar que él adivine sus pensamientos. Además, la relación de Patricia con su madre lo saca de quicio.

Ella, por su parte, ve en su marido un hombre fundamentalmente dominante. Intenta controlarla en todo lo que hace. La critica porque tiene amigas, la riñe cuando habla por teléfono. Y además tiene obsesiones en lo que toca a gastar dinero: «¿Para qué queremos otra lámpara en el salón? ¿Qué hay de malo con la que ya tenemos?»

Muchas parejas sufren en su vida en común por problemas a menudo simples y otras veces graves. Este capítulo examina algunos de estos problemas matrimoniales. Explicamos la naturaleza de los conflictos, sus posibles causas y las soluciones que pueden resultar de interés.

A destacar en este capítulo sobre las crisis en la pareja

- Para prevenir conflictos matrimoniales es necesario **conocer las peculiaridades** y necesidades propias de la mujer y las del hombre.

- La secuencia de la mayoría de las **infidelidades** sigue un patrón común que es bueno conocer para identificar posibles riesgos.

- Los **celos** infundados ocasionan inestabilidad emocional en ambos miembros de la pareja, un riesgo importante de ruptura y mucha infelicidad en las familias.

- La **violencia** física y psicológica en el seno del matrimonio afecta a muchas personas. Las consecuencias son desastrosas y la víctima debe recibir ayuda inmediatamente.

- La mayoría de los **problemas sexuales** tienen raíz psicológica y se arreglan recabando la necesaria información, dialogando abiertamente con el cónyuge y explorando juntos las posibilidades de la sexualidad en pareja.

- El divorcio puede **prevenirse** aprendiendo a resolver los conflictos conyugales, dialogando, compartiendo las cargas y manteniendo vivos la sexualidad y un cierto romanticismo.

- Aun en casos de errores muy serios, el **perdón** puede *ayudar a unir aún más a los casados* y reconducir con éxito la relación.

- El divorcio puede tener efectos demoledores sobre los **hijos** y estos necesitan contar con el apoyo suficiente.

- La **relación con el ex cónyuge** puede prolongarse por el resto de la vida, debido a la existencia de hijos. Esta relación deber ser correcta y desprovista de sentimientos.

¿Cómo resolver conflictos?

Herminia se siente alienada y abandonada a ser madre y ama de casa.
Cristóbal, su marido, está absorto en el trabajo y entiende que ella se queja sin razón.
Este problema ha provocado y sigue provocando choques en la pareja.

Conductas inapropiadas

- Traer a colación mil y un problemas ocurridos en el pasado y otros asuntos relacionados.
- Discutir solo y exclusivamente los aspectos negativos: la constante frustración de ella y la falta de entendimiento de él. Insistir en lo doloroso y adverso de la situación presente.
- Centrar el argumento en torno a las personas: «Si tú cambiaras de parecer y observaras a otras amas de casa...» «Tú solo buscas subir y subir hacia tu meta profesional y poco te importa la familia.»
- Estancarse en el problema y no pasar a las alternativas de solución: «Esto no puede continuar así... Yo ya no aguanto más... Esta vida me ahoga.»
- Considerar al otro como culpable exclusivo: «Yo no puedo hacer nada. Está claro que eres tú quien tiene que cambiar...» «Quizá te interese ir al psicólogo a ver si te ayuda porque lo que tú necesitas es ayuda profesional.»
- Sentenciar el problema con un claro vencedor: «Herminia, vamos a dejar las cosas como están porque las circunstancias no son favorables y no se puede hacer nada.»

Soluciones aceptables

- **Centrarse en el problema concreto**, es decir, el sentimiento de Herminia y la actitud de su marido.
- **Hablar del problema con honestidad**, tanto lo que encierra de negativo y es obvio, como lo que pueda ser positivo (por ejemplo, una mejor organización del hogar, una mayor dedicación a los hijos).
- **Presentar los argumentos en torno al problema, no a las personas**: «Este es un asunto que está causando disensión. Las circunstancias son adversas. Hemos de buscar una solución.»
- **Hablar de soluciones**: «¿Y si yo viniera del trabajo antes y te echara una mano con los niños? ¿Sería posible encontrar un empleo a tiempo parcial para ti?»
- **Aceptar con honradez la propia responsabilidad y porción de culpa**: «Aunque veo que estoy sujeto a mi trabajo, reconozco que tengo cierta flexibilidad y podría apoyarte»; o, por parte de ella: «A veces pienso que le doy demasiada importancia a este asunto; después de todo, esto cambiará cuando los niños vayan al colegio.»
- **Buscar soluciones en las que ambos ganen la batalla**: «Si me dan ese trabajo por horas, me sentiré más realizada y con esos ingresos podremos organizar las vacaciones que tú siempre has querido.»

No siempre es fácil

La vida en pareja en la **actualidad** lleva consigo una serie de **problemas peculiares** que en parte explican la razón de la infelicidad conyugal:

- El estilo de vida carente de serenidad es cada vez más común apreciándose fuertes niveles de **estrés generalizado**. Los puestos competitivos con fuertes demandas de producción, las necesidades económicas elevadas, la urgencia en las tareas, etcétera, llenan de tensión a las personas, y estas la transportan a la vida familiar. Así, ciertas actitudes perniciosas, como el enojo, hacen tambalear la estabilidad de la pareja.

- La **falta de tiempo** es una de las principales causas de desequilibrios y rupturas matrimoniales. El compromiso conyugal requiere una inversión razonable de tiempo. Las parejas viven ocupadas trabajando largas horas durante la semana, dejando tareas inacabadas para el fin de semana. Todo esto supone una barrera importante para nutrir la relación.

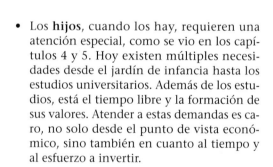

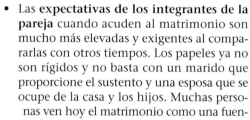

- Los **hijos**, cuando los hay, requieren una atención especial, como se vio en los capítulos 4 y 5. Hoy existen múltiples necesidades desde el jardín de infancia hasta los estudios universitarios. Además de los estudios, está el tiempo libre y la formación de sus valores. Atender a estas demandas es caro, no solo desde el punto de vista económico, sino también en cuanto al tiempo y al esfuerzo a invertir.

- Las **expectativas de los integrantes de la pareja** cuando acuden al matrimonio son mucho más elevadas y exigentes al compararlas con otros tiempos. Los papeles ya no son rígidos y no basta con un marido que proporcione el sustento y una esposa que se ocupe de la casa y los hijos. Muchas personas ven hoy el matrimonio como una fuente de satisfacción amplia y con un repertorio múltiple de funciones. Cuando estas expectativas fallan, los integrantes empiezan a contemplar la ruptura como opción.

- La **capacidad de decisión** ya no está reservada al varón. Muchas parejas comparten la autoridad. Esto es liberador para la parte oprimida (generalmente, la mujer), pero también puede ser una fuente de conflicto, especialmente cuando una de las partes no está satisfecha.

• Los **medios de comunicación**, incluido Internet, están abriendo enormes oportunidades que conllevan ventajas, pero también el riesgo de limitar la comunicación interpersonal y complicar la vida de relación.

• Si a estos factores añadimos la presencia de la **violencia, drogas y alcohol, y la ausencia de valores éticos y espirituales**, nos encontramos con infinidad de parejas que llegan a la conclusión de que el matrimonio no merece la pena. Como consecuencia, buscan la felicidad fuera de él, y la mayoría de las veces no la encuentran.

• A pesar de todo lo dicho, hemos de poner de manifiesto **que las crisis pueden llegar a desempeñar un papel unificador y fortalecedor** en la pareja. Cuando un matrimonio ha vivido durante décadas haciendo frente a dificultades de gran magnitud, la pareja se presenta más fuerte y más unida. Los acontecimientos graves como la muerte de un hijo, la pérdida del empleo, una enfermedad seria, la quiebra financiera... han transformado a muchos matrimonios en anclas inamovibles en donde prevalece la lealtad y la unidad.

¿Es posible encontrarse con un matrimonio que no discuta?

La respuesta afirmativa es improbable. De hecho, los matrimonios más felices son precisamente los que saben cómo discutir sin destrozar psicológicamente al cónyuge.

Los matrimonios que se disuelven por razones extremas como la violencia, la infidelidad, el uso de alcohol y de drogas, etcétera, son, en realidad, una minoría. Muchas de las separaciones y divorcios acontecen por el advenimiento de conflictos y la falta de habilidad para darles solución.

A veces, aunque se trate de problemas con una solución razonable y clara, los encartados se encuentran **sin reservas emocionales** para resolver el conflicto. En estos casos necesitan una persona externa y neutral (un psicoterapeuta, por ejemplo) que les lleve paso a paso a la solución de su problema.

En otras muchas ocasiones, sin embargo, la pareja que desea soluciones es sobradamente capaz de hacerlo por sí misma. El cuadro *"¿Cómo resolver conflictos?"*, en la página 125, sugiere soluciones aceptables contrastándolas con las conductas inapropiadas que, por cierto, suelen ser las más comunes.

Dado que es prácticamente imposible encontrar una pareja libre de conflictos, nos hacemos la pregunta: ¿Cómo resolver los conflictos de forma civilizada? Muchos maridos estarían de acuerdo en afirmar que es más difícil llegar a un acuerdo con la esposa sobre un detalle doméstico que negociar un trato mercantil de importancia. La razón fundamental es que cuando hay intimidad la negociación está impregnada de sentimientos y emociones. Y estos son buenos cuando no hay conflictos, pero cuando los hay, para resolverlos se necesita cierta cantidad de lógica, la cual es incompatible con los sentimientos.

Para resolver los conflictos

Muchos especialistas en terapia de pareja utilizan los pasos siguientes para la resolución de conflictos en la pareja. Por medio de la negociación, y aunque cada cónyuge no consiga el cien por cien de lo que desearía, es posible que ambos lleguen a un nivel razonable de satisfacción.

1. **Entender bien el problema**. Muchas parejas se enzarzan en graves peleas cuando en realidad no saben lo que quieren y, además, no conocen la perspectiva del cónyuge. La tarea primordial es aprender del otro escuchando activamente. Para verificar que ha habido mutua comprensión, es necesario que cada miembro de la pareja repita con sus propias palabras el problema, según lo ve el otro. Para mayor detalle, véase el cuadro *"Para escuchar mejor"* en el capítulo 3.

2. **Especificar los deseos de cada parte**. Este paso es de suma importancia porque ayuda a la pareja a centrarse en los objetivos, en lugar de las quejas. Es pues necesario que ambos expresen qué es lo que desearían en relación con el problema. Cuanto más **con-**

cretos los deseos, más fácil la negociación. Por ejemplo, es mejor decir: «Me gustaría que cuando estemos con los amigos no me gastes bromas sobre si soy muy limpia y cambio las sábanas dos veces por semana», que decir: «Quisiera que fueras más respetuoso conmigo en presencia de otros.»

3. **Explorar varias opciones**. Es el momento de hacer propuestas de solución. No se trata en este momento de optar por la vía definitiva, sino de exponer posibilidades, opciones múltiples de las que podría salir la mejor alternativa. Por ejemplo, soluciones a una queja de excesiva o desigual relación con los suegros respectivos serían:

a. por cada vez que visitemos a tus padres, visitamos también a los míos;

b. limitar las visitas familiares de todo tipo a dos veces por año;

c. cuando uno hable por teléfono con su madre/padre, no forzar al otro a ponerse y mantener una larga conversación;

d. hablar con ambas familias y exponer con franqueza y respeto el modo en que nos gustaría relacionarnos con ellos.

En esta etapa, es necesario mantenerse alejados de asuntos personales y evitar echarse las culpas mutuamente. El objetivo es centrarse en soluciones.

4. **Negociar**. Es el momento de llegar a una solución lo suficientemente equilibrada como para que ambos cónyuges queden satisfechos. Es conveniente encontrar algún punto medio en la negociación, bien repartiendo la carga que supone llevar a cabo la solución, o bien intercambiando deseos («yo no protestaré cuando hagas pequeños gastos, pero tú no me riñas cuando una vez al mes me voy a pescar con mis amigos»). Este tipo de pactos dejan a ambos con la sensación de haber obtenido alguna satisfacción, siquiera par-

cial. En el peor de los casos, si no hay acuerdo, al menos los cónyuges pueden estar de acuerdo en su desacuerdo: Marta y Ricardo disentían en qué hacer con los ahorros. Marta quería ir de crucero y Ricardo, dar la entrada para un piso. Como no había acuerdo, se decidió mantener el dinero en el banco hasta reanudar la negociación. Y entretanto, no había que pelearse más.

5. **Reafirmar los acuerdos**. Es muy importante trabajar bien en la negociación porque una vez hecho un pacto, los acuerdos y responsabilidades mutuas deben mantenerse. Cuando un miembro de la pareja viola los acuerdos logrados, la próxima negociación será más difícil por generarse decepción y falta de confianza. Escribir los acuerdos en forma de contrato, hacer una seria declaración verbal mutua, o utilizar un árbitro-testigo de los pactos, suele usarse con éxito en la terapia matrimonial.

6. **Revisar periódicamente**. Un acuerdo en teoría no es siempre viable en la práctica; por eso la mayoría de los pactos hechos en pareja necesitan revisarse periódicamente. Y así se consiguen los ajustes necesarios para seguir adelante. En última instancia, la meta es prescindir por completo de acuerdos y vivir una relación razonablemente feliz.

Estilo personal en la resolución de conflictos

Además de seguir un método como el anterior, a fin de amortiguar la emotividad en la negociación, se ha de considerar el estilo personal en la resolución de conflictos. Kilmann y Thomas identificaron los siguientes tipos (Kilmann, R. y Thomas, K., 1975):

- El **estilo competitivo** consiste en tomar la dirección para aplicar una solución al conflicto. Puede resultar eficaz por estar fuertemente orientado hacia una solución, pero es pobre en reconocer las necesidades ajenas. Es especialmente peligroso cuando los dos en la pareja son competitivos.

- El **estilo colaborador** probablemente sea el más recomendable. Es el propio de la persona activa que pretende encontrar una salida de validez mutua. En la elección de soluciones, tiene en cuenta las nece-sidades del otro y, por tanto, cuenta con mayor probabilidad de encontrar la salida satisfactoria. El estilo colaborador requiere esfuerzo y un fuerte componente negociador, pero es perfectamente realizable.

- El **estilo equitativo** también incluye a ambas partes y es simple en su aplicación. La persona cuenta con un empuje razonable y con un buen nivel de sensibilidad a las necesidades del otro. El propósito en la solución del conflicto es ceder a partes iguales para que no haya ganador ni perdedor. Es un sistema justo, pero que puede resultar insuficiente en la solución de problemas complejos donde es imposible saber cuál es la mitad exacta.

- El **estilo evitador** consiste en una actitud de poco empuje hacia la solución y de poca sensibilidad hacia las necesidades ajenas. Se trata de olvidar el problema, no pensar en el conflicto, dejar el asunto a un lado y esperar a que las cosas vayan mejor. El principal inconveniente es que muchos conflictos no desaparecen fácilmente y vuelven a aparecer, quizá con más intensidad, en el futuro.

- El **estilo acomodaticio** está dominado por la adaptación a la necesidad ajena, pero con poca iniciativa para encarar el conflicto. La persona acomodaticia sacrifica sus deseos para no colisionar. En la práctica, el cónyuge que ha cedido una y otra vez se cansa y demanda que el otro haga su parte correspondiente. Otro inconveniente es la ausencia de diálogo y negociación, privando a la pareja de esta práctica necesaria para alcanzar nuevos acuerdos y pactos.

La infidelidad

La infidelidad es la ruptura de los votos matrimoniales que comprometen a un hombre y una mujer a vivir reservándose en exclusiva el uno para el otro. En Norteamérica se estima que el 21% en los hombres y el 11% de las mujeres son infieles al menos una vez en la vida (*National Opinion Research Center*, 1994). Es posible que la frecuencia sea, en realidad, más alta. Después de todo, quienes tienen el valor de engañar al cónyuge, bien pueden mentir en una encuesta.

Es curioso que en países donde existe libertad plena para casarse o no casarse, o para divorciarse, el hecho sea más común. Esto quizá se explica por la satisfacción adicional de mantener una relación sentimental secreta, con un tinte morboso.

La historia de la mayoría de las infidelidades sigue este **patrón**:

1. El matrimonio entra en un *estado monótono* o carente de algún ingrediente considerado esencial.

2. *Alguien se cruza en el camino* de uno de los cónyuges mostrando interés, y ofreciendo alabanzas.

3. La presencia de esta tercera persona empieza a ser agradable y *recordar los tiempos del enamoramiento* primero: «Fulanito/a me comprende, me acepta tal como soy, con cariño y sin condiciones...»

4. Aparecen en ambas partes *signos de amor* sincero que acaban en compromisos mutuos: «En cuanto pueda, me divorcio y nos casamos.»

5. Se establece una *vida paralela* con intercambio de favores emocionales, sexuales y prácticos.

6. Después de un tiempo variable, se pierde la novedad; ya no existe la pasión del principio, sobrevienen las *disputas* y las *rutinas* de toda relación. Y aquí surge la cuestión de si conviene o no continuar.

7. Si la aventura amorosa no ha sido descubierta por el cónyuge, el (o la) infiel "*vuelve*" discretamente al matrimonio oficial. Si se ha descubierto, pide perdón y promete fidelidad para el futuro. Pasado el tiempo, puede o no haber otro intento de infidelidad.

Aparte de los aspectos más visibles de una aventura extramatrimonial (el sexo, la compañía mutua, la conversación placentera) existe una raíz que subyace en todo el proceso: la necesidad que hombres y mujeres tienen de *satisfacer el yo y alimentar su autoestima*. Cuando estos mensajes afirmativos («¡Qué bonita eres!» «Eres un hombre fuerte y disciplinado» «Qué buen gusto tienes» «Me sorprendes con tu inteligencia») ya no existen en el matrimonio y se oyen fuera de él, parecen atraer mágicamente al ser humano.

El sabio Salomón, antiguo rey de Israel, en el libro de los Proverbios, dedica el capítulo siete a la descripción de una seducción. Son, precisamente, las palabras de alabanza de la mujer las que acaban subyugando al hombre: *«Lo rindió con la suavidad de sus muchas palabras»* (Proverbios 7: 21).

CÓMO MANTENER LA FIDELIDAD

En una sociedad que tolera (e incluso, más o menos directamente, promueve) la infidelidad, la incidencia tenderá a aumentar. Sin embargo, la verdadera raíz de la infidelidad va más allá de la licencia que ofrezca la sociedad. La relación en la que ambos obtienen satisfacción emocional, intelectual, social y física es la mejor garantía de fidelidad. Si por el contrario, la relación carece de los recursos mínimos, uno de los cónyuges (o ambos) puede llegar a optar por otras alternativas. La frase de Benjamín Franklin: «Donde hay matrimonio sin amor, habrá amor sin matrimonio», es suficiente para entender el principio.

Enumeramos a continuación algunos consejos eficaces para mantener la fidelidad en el matrimonio:

- **Ser honestos en todas las áreas del matrimonio.** Una relación abierta y honesta en donde no existan mentiras ni aun en las cosas pequeñas, hace muy difícil la aventura extramatrimonial a espaldas del cónyuge, tanto por parte del hombre como de la mujer.

- **Mantener cerrado el círculo de la pareja.** Los problemas y conflictos que surgen en el círculo matrimonial son exclusivos de la pareja. Con la excepción de aspectos patológicos (violencia, enfermedad) que requieren confiarse a una tercera persona, los problemas deben debatirse de puertas adentro. La infidelidad a veces hace su entrada cuando alguien escucha las quejas de uno de los miembros de la pareja.

- **Reavivar el romanticismo.** Es básico y fundamental esforzarse en hacer la relación significativa y animada. No hay que tener vergüenza en volver a las andadas de la juventud: salir juntos, enviarse notas de cariño, hacerse regalos, besarse en situaciones inesperadas y, sobre todo, dedicar tiempo a hablar y a hacer actividades juntos.

- **Mantener la sexualidad en buen estado.** Aunque esta no es la única razón de infidelidad, sí lo es con frecuencia, especialmente en los hombres insatisfechos con la vida sexual matrimonial. Se debe apartar tiempo para explorar nuevas formas de satisfacción sexual, y mantener una sexualidad vibrante y excitante. Hacer todo lo posible para satisfacerse sexualmente el uno al otro.

- **Ocuparse en nutrir la autoestima.** Los mensajes de aprobación que se enviaron en el noviazgo y primera etapa matrimonial no suelen tener duración perpetua. Pero el ser humano necesita alimentar el yo periódicamente. Hay que realizar alabanzas sinceras y apropiadas. La mayoría de los hombres gustan de buenos comentarios sobre su fuerza física, su espíritu de trabajo y su inteligencia. Las mujeres se nutren de palabras bonitas y gestos de elogio hacia su atractivo físico, su capacidad para resolver problemas y su actitud cariñosa y dulce. La carencia de este "alimento" es la razón por la cual muchos hombres y mujeres acaban cayendo en los brazos de otra/o amante.

Los celos

Los **celos infundados** son una emoción que surge por el intento desmesurado de poseer al cónyuge o persona amada de forma abarcante y exclusiva. Pueden también entenderse como un miedo intenso a perder al ser querido por su amor a otra persona. En el matrimonio, los celos se centran en torno a la posible infidelidad sexual, pero no siempre se limitan a ella. Por ejemplo, una mujer puede sentir celos hacia el trabajo del esposo, por ser un empleo absorbente y quitar tiempo a la relación. O un hombre puede sentir celos hacia los hijos por la entrega y dedicación que la esposa muestra hacia ellos.

Existen **celos justificados** cuando, en situación de fidelidad pactada, una de las partes decide abandonar la relación y unirse a otra persona. El abandonado o abandonada puede sentir celos hacia quien le ha arrebatado a la persona amada. Pero esto suele acabar en reconciliación o ruptura. Sin embargo, cuando hablamos de celos en la pareja, se suele hacer referencia a los celos infundados, acompañados de sentimientos de desconfianza, acoso y sospecha, todo lo cual constituye un riesgo serio para la felicidad de la pareja.

A dónde nos llevan los celos

En la práctica, los celos siempre conllevan procesos y resultados adversos. He aquí algunos:

- Los celos van acompañados de sentimientos que contribuyen a la **inestabilidad emocional** del celoso: ira, temor, inseguridad, desconfianza, dolor psíquico… Pueden ser, pues, causa (o consecuencia) de desequilibrio emotivo.

- Los celos son un factor de **riesgo en la relación**. Una pareja en la que uno de los miembros tiene celos, está en alarma constante y puede caer en el desamor y la ruptura.

- Los celos son una **importante carga emocional** para el cónyuge del celoso. La mujer, por ejemplo, cuyo esposo tiene celos infundados, está privada de libertad, de iniciativa, y se halla constantemente acosada por amenazas y "evidencias" que apuntan a la infidelidad.

- Los celos *no* **constituyen garantía de fidelidad**, *ni de amor* por parte del celoso, sino más bien lo contrario, ya que hay más tendencia hacia la infidelidad en los celosos que en los que no lo son. Esto se refleja en la excusa del celoso: «Si ella es infiel, yo también.»

El porqué de los celos

No está claro el origen de los celos. Existen evidencias que apuntan a su **origen social**, ambiental. Los estudios antropológicos muestran culturas celotípicas, como los apaches de Norteamérica y culturas de baja celotipia, como las del sur de la India. En las primeras existe un alto número de celosos porque la sociedad valora la fidelidad en extremo y considera altamente deshonroso cualquier excepción a la regla. Este ambiente parece empujar a hombres y mujeres a un estado de alerta constante para guardar a sus respectivos cónyuges. En las comunidades de baja celotipia, sin embargo, los sentimientos de celos son más bien raros, por ser la sociedad más tolerante en lo que toca a intercambios amorosos.

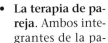

Otros estudios asocian los celos a **rasgos inherentes a ciertas personas**. Existe una correlación entre las conductas celosas y algunos rasgos de la personalidad como la ansiedad, la inseguridad, la autocrítica, o la paranoia. Estos resultados hacen a muchos pensar que los celos tienen una raíz más personal que social y, por tanto, podría decirse que quienes por naturaleza son temerosos, inseguros, con autoestima pobre y con sentimientos de desconfianza tienden a mostrar conductas celosas.

Lo cierto es que, aunque la medida de atribución exacta no sea conocida, parece obvio que ambos factores, social y personal, contribuyen en mayor o menor grado a esta tendencia.

Cómo controlar los celos

Desde el punto de vista psicoterapéutico, la ayuda al celoso se hace muy difícil si este está realmente convencido de la infidelidad del cónyuge hasta el punto de mantener verdaderos delirios sobre evidencias sin base. En el caso de los que son conscientes de su tendencia suspicaz y quieren recibir apoyo, hay técnicas que pueden ayudar definitivamente, por ejemplo:

- **El control del pensamiento**. El celoso asiste a sesiones de orientación individual en las que se examinan sus pensamientos celotípicos y cómo la mente llega a ellos y los mantiene. Se le enseñan ejercicios de detención y desviación de esos pensamientos indeseables para poder evitarlos sistemáticamente.

- **Los planes conductuales**. La conducta celosa tiende a mantenerse por sí sola muy eficazmente. Se trata, pues, de identificar los hábitos, estímulos y elementos reforzantes que perpetúan esta conducta para eliminarlos. Hay lecturas, compañías, lugares, etcétera, que pueden ser resortes para los pensamientos celosos y han de evitarse. Una actitud sumisa por parte del cónyuge acusado, por ejemplo, puede también contribuir a alimentar los celos.

- **La potenciación del autoconcepto**. Con mucha frecuencia es el concepto pobre de uno mismo el que motiva los celos: el acomplejado cree que cualquiera le puede arrebatar a su esposa. Por ello, el paciente recibe instrucción en cómo mejorar el concepto de sí mismo. Esto le dará la necesaria seguridad personal para no sospechar de la infidelidad del cónyuge.

- **La terapia de pareja**. Ambos integrantes de la pareja reciben la correspondiente psicoterapia en la que hablan abiertamente y siguen pautas para aumentar la confianza mutua. También se pactan fases de prevención (consejos para evitar el problema) y se establecen las consecuencias cuando la conducta celotípica reaparece.

La violencia en la pareja

Aun cuando la violencia física y psicológica presentan una apariencia diferente, el objetivo es el mismo: limitar la libertad de la víctima u obligarla a que haga algo que no desea.

Sectores sociales con mayor factor de riesgo de violencia

La violencia en la pareja aparece en todas las clases sociales, nacionalidades, culturas y edades. Sin embargo, hay sectores en los que sobreviene con más frecuencia:

- **Los jóvenes**. La edad y la violencia doméstica están estadísticamente ligadas. En las parejas jóvenes (menos de treinta años de edad)

Durante los últimos años la opinión pública se ha concienciado de un problema común, pero oculto: la violencia en la pareja y en la familia. Siempre ha existido, pero antes se aceptaba y ahora, en la mayoría de las sociedades, se rechaza.

¿En qué consiste esta violencia de puertas adentro? Puede manifestarse siguiendo dos formas:

- La **agresión física**, que consiste en empujar, abofetear, arañar, dar puñetazos o golpes con objetos, provocar quemaduras, o violar a la víctima (incluso a la esposa). El hombre es generalmente quien perpetra la violencia sobre la mujer.

- La **agresión psicológica**, que abarca amenazas, humillaciones, vejaciones (reprensiones frecuentes e injustificadas), violencia sobre objetos o animales domésticos para intimidar, e intentos de controlar el acceso al dinero, a la familia o a los amigos de la víctima. Puede darse tanto en hombres como en mujeres.

Las fases del maltrato

En la mayoría de los casos, el abuso en la pareja sigue un patrón caracterizado por tres fases:

1. **Aumento de tensión**
2. **Violencia**
3. **Promesas**

La tensión suele aumentar en situaciones de conflicto, de estrés, o de emociones negativas. Llegando a un punto elevado de presión, el agresor pierde el control y lleva a cabo la agresión. Después de agredir se siente culpable y deseoso de no volverlo a repetir, haciendo promesas de enmienda y tratando a la víctima con especial cariño y tacto, e incluso haciendo concesiones o regalos valiosos. Ello desempeña un papel reforzador en la víctima, quien se mantiene en la relación por la existencia de esta tercera fase.

el problema adquiere una incidencia doble al del grupo de mayores de treinta años (Gelles, R. J., 1997).

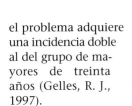

- **Los desempleados o con ingresos inferiores.** La carencia de recursos económicos también guarda relación con las conductas de abuso. Como en el caso anterior, la probabilidad se dobla en las familias con pocas entradas (Steinmetz, S. K., 1987).

- **Los que cuentan con un nivel inferior de estudios.** La falta de cultura y de formación académica es otro factor de riesgo en la violencia hacia la compañera. Aunque la violencia existe en sujetos bien instruidos, se encuentra con más frecuencia en quienes carecen de estudios.

- **Los que toman alcohol.** Una proporción muy alta de actos agresivos en la pareja se debe al uso de bebidas alcohólicas. El bebedor, aun sin estar ebrio, pierde la inhibición dando rienda suelta a conductas agresivas que probablemente no aparecerían en ausencia del alcohol (Gelles, R. J., 1997).

- **Los que provienen de familia violenta.** Haberse criado en una familia con violencia doméstica es un factor de alto riesgo para reproducir la conducta. Y esto es cierto tanto para el agresor como para el agredido. El niño observa y aprende el papel del padre: violento, impaciente, dominante, conductas que en su día tenderá a reproducir. La niña observa el papel de la madre: víctima, sufriente, humillada, actitudes que facilitarán la conducta abusiva (Kruttschnitt, C., Heath, L. y Ward, D. A.,1986).

Factores de la personalidad con mayor riesgo de violencia

Existen además ciertos atributos de la personalidad que también añaden riesgo de violencia en la pareja:

- **La falta de autoestima.** La autoestima pobre es un factor asociado a la violencia tanto en el perpetrador como en la víctima. El primero se siente inferior y desea compensar su inferioridad desplegando fuerza y dureza. La segunda adopta el papel pasivo y

Testimonio de una víctima

Noelia habla de la experiencia vivida en su matrimonio:

«Ya de novios noté que a veces se ponía violento, especialmente después de haber tomado unas copas, pero nunca le di importancia. Estaba segura de que desaparecería con el tiempo. No vi el peligro claramente hasta que, dos años después de casados, llegó a las manos y me dio dos bofetadas en uno de sus arrebatos. Aquello fue como despertar de un letargo, porque entonces me di cuenta de lo que me había humillado, chillado, insultado, amenazado, etcétera, durante nuestros dos años de matrimonio. La situación empeoró y, a partir de ahí, siguieron otros dos años de golpes y bofetadas con muy firmes propósitos de enmienda. Pero nunca hubo un cambio definitivo. Finalmente, mi hermana me ayudó mucho a poder salir de este círculo vicioso. No hubo hijos de este matrimonio. Ahora estoy casada con un hombre que me quiere y me respeta. Tenemos una hija y somos razonablemente felices. Creo que aquel matrimonio fue un fracaso por temprano y precipitado.»

sufriente aceptando que ella vale poco, o es muy desgraciada, y no es merecedora de mejor trato.

- **Los celos**. Es frecuente observar que quienes experimentan celos infundados tienen el riesgo de desplegar conductas agresivas, quizá para demostrar por la fuerza lo que no pueden probar con la razón.

- **La falta de asertividad**. Quienes maltratan a su esposa suelen contar con muy pocos recursos de comunicación y asertividad. Les es difícil exponer su punto de vista o manifestar sus deseos de forma correcta por el diálogo y la persuasión. Acaban, pues, recurriendo a métodos coercitivos.

- **La tendencia a culpar**. Culpar a otros, especialmente a la compañera, es también rasgo frecuente en los que usan la violencia en la pareja. Se ceban en administrar el debido "castigo" por ser la víctima la causante de sus desdichas.

Por último, existen razones de tipo cultural y social que también contribuyen a la manifestación y mantenimiento de este mal. La sociedad altamente competitiva, los mensajes de los medios de comunicación con modelos agresivos, los deportes de competición,

la mujer presentada como objeto, etcétera, son causas que, al menos en parte, favorecen conductas agresivas.

Las **consecuencias** de la violencia en la pareja son notables. En primer lugar encontramos los daños físicos patentes: marcas de golpes, quemaduras, roturas de hueso, cortes, etcétera. Pero estas evidencias no van solas sino acompañadas de síntomas: insomnio, agitación, dolores crónicos de cabeza y espalda. En última instancia, las víctimas acaban sufriendo trastornos mentales serios: depresión, ansiedad, estrés postraumático, baja autoestima y hasta suicidio u homicidio a manos de su compañero.

Cuando hay hijos, las consecuencias también se extienden a ellos. Algunos de los problemas infantiles derivados de este tipo de familia son: problemas de conducta, dificultades en la escolaridad, mentira, hurto, depresión, ansiedad y el notorio riesgo de ser víctima o agresor en la edad adulta.

Tipos de intervención ante la violencia

Los modos de intervención son fundamentalmente tres:

- **Legal**. El perpetrador es objeto de una denuncia que acaba con su detención y proceso penal. La víctima necesita el asesoramiento legal adecuado para seguir los pasos más acertados en cada circunstancia.

- **Social**. Para eliminar el peligro al que se somete una mujer maltratada, existen refugios patrocinados por ayuntamientos, organizaciones no gubernamentales o iglesias que ayudan a la mujer y a sus hijos en cuestiones prácticas (protección, alojamiento, comida, etc.), así como suministrando el apoyo emocional tan necesario en esos momentos.

- **Psicoterapéutico**. Quienes trabajan de cerca con estos casos manifiestan que son raros los cambios de conducta y que es necesario centrarse en la protección de la víctima. Sin embargo, existen casos que responden bien al tratamiento psicoterapéutico, cuando hay deseo de mejora. La terapia es de la misma naturaleza descrita para los casos de celos (véase el apartado anterior). Se ayuda al agresor a dominar sus pensamientos, deseos y comportamientos y se le enseñan técnicas para solucionar sus problemas de forma creativa y eficiente. A la víctima se le instruye en cómo mejorar su autoconcepto, a pensar más racionalmente y a librarse de la culpabilidad.

Disfunciones sexuales y terapia

Debido a experiencias estresantes, a conflictos familiares, o simplemente al paso de los años, uno de los miembros de la pareja (o ambos) puede acarrear ciertos problemas en la sexualidad. La inmensa mayoría de los desajustes sexuales se resuelven en el ámbito de la pareja. El diálogo, la comunicación, el cariño y la ternura son muchas veces suficientes para alcanzar el equilibrio.

Sin embargo, otras veces los problemas alcanzan un grado de complejidad que va más allá del diálogo y comprensión mutuos, necesitando del consejo o el tratamiento de un sexólogo o médico especialista.

A veces la pareja escucha o lee comentarios que les hacen pensar que su sexualidad no es satisfactoria. Esto es corriente en los medios de comunicación, donde se hace alarde de una sexualidad fantasiosa y exagerada. La pareja debe recordar que para hablarse de disfunción o de trastorno, el problema debe producir:

- un nivel significativo de estrés y
- serias dificultades en la relación marital.

Sin estos criterios, no puede diagnosticarse ninguna de las disfunciones del cuadro de la página siguiente. Por tanto si, por ejemplo, una aparente eyaculación precoz no resulta fuente de estrés o de conflictos en una pareja y ambos se encuentran sexualmente satisfechos, no podemos hablar de disfunción sexual.

La **terapia de las disfunciones sexuales** es altamente eficiente. Masters y Johnson, por ejemplo, alcanzaron el 84% de cura definitiva en los varones tratados durante sus años de práctica y el 78% en el caso de las mujeres (Alpern, D. M., 1988). La terapia cuenta con la ventaja de que, aun cuando la solución no sea perfecta, siempre produce un alto grado de mejora. El

problema mayor es que quienes padecen estos trastornos suelen ser reticentes a acudir a un sexólogo o médico especialista.

¿En qué consiste esta terapia? La actividad básica del terapeuta sexual es la **educadora**. El terapeuta escucha los problemas y administra información a la pareja. La pareja aprende la fisiología práctica de la sexualidad, se inicia en los procedimientos de relajación, adquiere el hábito de hablar con naturalidad de los asuntos sexuales, aprende a explorar el cuerpo del compañero, etcétera. También la pareja clarifica las actitudes hacia sus propios cuerpos, hacia el del otro y hacia la sexualidad. En muchos casos, esta información, acompañada de la correcta actitud, es más que suficiente para corregir los problemas.

Si una buena información y cambio de actitud no son suficientes, se enseñan **técnicas sexuales específicas**, según de qué disfunción se trate. Por ejemplo hay técnicas para controlar la eyaculación, o para relajar los músculos cervicales y evitar el vaginismo. El terapeuta explica la técnica, el paciente practica la técnica en la intimidad con su pareja, y ambos vuelven a la consulta para informar.

Cuando existen problemas de etiología fisiológica, el tratamiento farmacológico está indicado bajo supervisión facultativa.

Finalmente, los casos más complicados guardan relación con sucesos del pasado que han producido algún trauma psicológico que dificulta seriamente la función sexual. En estos casos no procedería impartir la técnica sin antes llevar a cabo una **psicoterapia profunda** que llegue a la raíz del problema. Estos casos son los más escasos como puede verse en el gráfico adjunto en forma de pirámide.

Terapia profunda

Tratamiento en técnicas sexuales

Tratamiento por información

Disfunciones sexuales

La clasificación más extendida actualmente divide las disfunciones sexuales en la pareja en cuatro tipos, según se presenten en la fase del deseo sexual, durante la excitación, durante el orgasmo, o si hay dolor en el coito. (Tomado del más acreditado sistema de diagnóstico internacional, DSM-IV, "Diagnostic and Statistical Manual", cuarta edición).

1. Trastornos del deseo sexual

Deseo sexual inhibido (o hipoactivo). Es la ausencia o marcada deficiencia de deseos de realizar el acto sexual. Aunque en algunos casos puede deberse a problemas médicos (alteraciones hormonales, metabólicas, medicamentos...), la causa más común es de origen emotivo: tensión psicológica o estados depresivos.

Aversión sexual. Es la repulsa y evitación activa del contacto sexual, experimentando ansiedad, temor, o asco por el sexo. La raíz suele encontrarse en sucesos traumáticos del pasado (haber sido educado de manera extremadamente puritana o haber sufrido abuso sexual en la niñez).

2. Trastornos de la excitación sexual

Trastorno de la excitación sexual en la mujer. Es la dificultad de conseguir o mantener la lubrificación e inflamación vaginales que acompañan a la excitación sexual. Esto produce dolor durante el coito y consecuente evitación de este. Las causas son de tipo psicoemocional.

Trastorno de la erección en el varón (impotencia). Es la dificultad en conseguir o mantener la erección hasta finalizar el acto sexual. Esto produce falta de satisfacción en la mujer y sentimientos de frustración y fracaso en el varón. A veces la causa es de tipo fisiológico, pero siempre están presentes la ansiedad y el miedo al fracaso. Este problema tiende a incrementarse en la mediana edad.

3. Trastornos del orgasmo

Trastorno orgásmico en la mujer. La mujer cuenta con una fase normal de excitación sexual pero no culmina con el orgasmo, o este ocurre con excesivo retraso.

Trastorno orgásmico en el varón. El varón experimenta una fase normal de excitación sexual que no culmina con el orgasmo, o este aparece con excesivo retraso. Quienes padecen este trastorno hablan de una excitación y penetración normales; sin embargo, los movimientos coitales acaban siendo una tarea pesada en lugar de un placer.

Eyaculación precoz. El varón experimenta la eyaculación con una estimulación sexual mínima antes de la penetración o inmediatamente después de ella. Esto trae consigo insatisfacción en la mujer y sentimiento de fracaso en el hombre.

4. Trastornos sexuales por dolor

Dispareunia. Consiste en el dolor genital durante el acto sexual. Este dolor puede llegar a ser muy intenso, evitando los encuentros sexuales. Es un trastorno infrecuente que cuenta con causas de tipo psicológico.

Vaginismo. Se da cuando aparecen espasmos (contracciones) musculares involuntarios en la vagina que dificultan la penetración y acarrea problemas de insatisfacción sexual en ambos cónyuges. El problema aparece con más frecuencia en mujeres con una actitud negativa hacia el sexo o en aquellas que han sufrido algún trauma o abuso sexual.

Cuando llegan las desgracias...

Las disputas y los altercados domésticos se quedan pequeños al compararlos con situaciones de verdadera crisis para la pareja o familia. Nos referimos a sucesos tales como la **pérdida repentina de empleo**, el **divorcio**, un **accidente traumatizante**, o la **muerte** de un miembro de la familia.

Ingredientes de las crisis

La crisis sobreviene como resultado de un cambio crucial en el curso normal de los acontecimientos familiares. Toda crisis tiene al menos tres ingredientes:

- Cambio significativo
- Inestabilidad
- Oportunidad para tomar decisiones (positivas o negativas)

En las parejas y familias, estas situaciones son comparables a un navío que zozobra. Un cambio atmosférico importante hace que el barco entre en una situación de peligro e inestabilidad que obliga a la tripulación a tomar decisiones importantes. Estas pueden ser positivas (utilizar medios avanzados de emergencia y métodos para salvar la situación) o negativas (perder el control y desesperarse).

Pasos de las crisis

Por norma general, las crisis siguen un curso fijo, de acuerdo a los siguientes pasos:

1. **Advenimiento de la crisis**. Con la presencia de una fuente de tensión (o estresor) se desencadenan los acontecimientos que producen la crisis familiar. Por ejemplo, un ataque cardíaco que sufre un padre de familia a los 50 años. La crisis puede desencadenarse por un estresor de magnitud o por la acumulación de varios pequeños estresores que producen sobrecarga.

2. Periodo de desorganización. La carga repentina produce una serie de efectos que desencajan la vida familiar. El ataque cardíaco pilla de sorpresa a la esposa y a los hijos. Poco después del choque inicial han de hacer arreglos para asistir al padre, comunicarse con los médicos, cambiar sus horarios, etcétera. Es un momento difícil en el que no se encuentra sentido a la desgracia, se piensa en cómo se podría haber evitado, en quién tiene la culpa... En estas circunstancias se necesita más apoyo emocional y práctico por parte de los amigos, la familia y los profesionales.

3. Periodo de reorganización y recuperación. Después de tocar fondo, el problema inicia el camino hacia la recuperación. Cuando el enfermo se encuentra fuera de peligro se le recomienda reposo total durante varias semanas. Esto supone una variación de la vida habitual en la familia, pero puede encontrarse un método para afrontarla: la ayuda sistemática de varios miembros de la familia, el apoyo y la educación por parte de enfermeros o trabajadores sociales que ayuden al paciente a adquirir un estilo de vida que prevenga otra recaída, etcétera.

4. Periodo de estabilización. Se trata de la vuelta a la normalidad, aun cuando la normalidad, en ciertos acontecimientos, no llegará a ser la misma que antes de la crisis. En nuestro ejemplo, el paciente reanuda su vida de trabajo y todos entran en una situación estable después de la turbulencia.

Muchas personas reciben una experiencia crítica de forma repentina y no tienen tiempo para reaccionar de forma adecuada. Es muy útil entender la forma en que se debe hacer frente a las crisis, pues estando familiarizados con ciertos pasos básicos, si sobreviniera una situación crítica, podríamos encararla de forma satisfactoria. Las preguntas fundamentales son: **¿Cómo afrontar la crisis? ¿Qué medidas tomar para salir sanos y salvos de esta situación?**

El divorcio

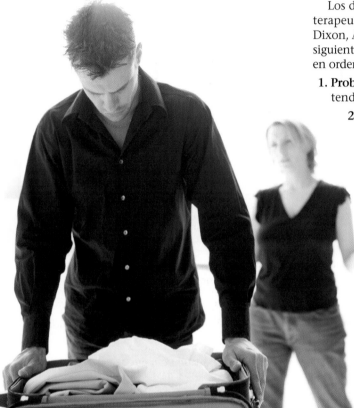

Causas del divorcio

Los datos recogidos por un grupo de psicoterapeutas de pareja (ver Whisman, M. A., Dixon, A. E. y Johnson, B., 1998), muestran las siguientes causas de divorcio en sus pacientes, en orden de mayor a menor frecuencia:

1. **Problemas de comunicación** («No nos entendemos»).

2. **Problemas de autoridad** («No nos ponemos de acuerdo, los dos queremos mandar»).

3. **Expectativas no realistas** («El matrimonio debería ser algo fantástico»).

4. **Sexualidad** («No estoy satisfecho/a con nuestra vida sexual»).

Otros motivos presentados son: ausencia de sentimientos amorosos, conflicto de valores, problemas de personalidad, infidelidad conyugal, falta de demostraciones de afecto, y cuestiones de dinero. Aun otras razones son menos frecuentes (al compararlas con la totalidad de divorcios) pero de gran relevancia: abuso de cónyuge, abuso de hijos, homosexualidad, alcohol y otras drogas.

El divorcio es un problema creciente. Tan solo en los países en donde se restringe legalmente, está bajo control. Pero, ¿por qué se divorcia la gente? Las explicaciones que los divorciados ofrecen a abogados y jueces bien pueden ser razones estereotipadas o de conveniencia para evitar la prolongación innecesaria del proceso. Las verdaderas causas quizá se mantengan ocultas o solo se confíen a personas muy allegadas. Una de las fuentes más fidedignas son los psicoterapeutas que ayudan a uno u otro miembro de la pareja a superar la crisis.

Razones de tipo sociológico

Existen también razones de tipo sociológico que explican el divorcio y sus variaciones en diferentes lugares y épocas:

1. **El contexto legal.** Los países con leyes facilitadoras del divorcio cuentan con un índice más elevado del mismo que las naciones que ponen muchas trabas legales a quienes quieren divorciarse.

2. **El movimiento feminista.** La mujer ha ido entendiendo que ser esposa no es sinónimo de esclavitud, lo cual es totalmente correcto. Como consecuencia, muchas mujeres con un matrimonio anómalo han seguido los pasos hasta conseguir el divorcio.

continúa en la página 144

CÓMO PREVENIR EL DIVORCIO

Los resultados de un estudio de la Universidad de Harvard (McLanahan, S. y Sandefur, G., 1994), mantienen que todos los miembros de una familia con un alto nivel de conflicto, por ejemplo donde hay abuso o alcoholismo persistentes, se benefician del divorcio. Sin embargo, los matrimonios con un bajo nivel de conflicto ganan más quedándose juntos y el daño sobre los hijos es menor que el del divorcio. Con esto queremos decir que aunque las parejas, en medio de ciertos altercados, vean el divorcio como una salida viable, deben procurar la solución de sus problemas y prevenir así el divorcio.

Presentamos a continuación un grupo de estrategias preventivas del divorcio:

- **Resolución de conflictos**. Para superar los conflictos que necesariamente se derivan de la convivencia, es necesario poseer un buen nivel de preparación en las destrezas que hacen resolver eficazmente los conflictos. Referimos al lector al apartado *"Cómo resolver conflictos"* en este mismo capítulo, página 125.

- **Intercambio verbal constante**. La falta de intercambio verbal, de comunicación eficaz, es un problema muy sutil y a la vez muy pernicioso en la vida conyugal. Por ello, se impone la actividad conversacional habitual en donde se intercambie todo tipo de información, desde la más intrascendente hasta los pensamientos íntimos. Esta actividad fortalece la confianza, la amistad y los vínculos amorosos.

- **Compartir la autoridad y las tareas**. Muchas parejas entran en crisis por el autoritarismo de uno de ellos, o de los dos. En una relación fundada en el amor, ha de entenderse que gran parte de la felicidad propia es conseguir la felicidad del cónyuge. Es necesario, pues, compartir las diversas cargas de la pareja y la familia dialogando y llegando a acuerdos en donde ambos estén contentos con sus propias funciones y con las del cónyuge.

- **No pensar que el matrimonio es un cuento de hadas**. Los casados nunca deben esperar una relación perfecta con plena satisfacción en todos los ámbitos. Si piensan de esa manera, la decepción e insatisfacción serán tales que desearán la ruptura. Ambos han de pensar que un matrimonio feliz solo se logra con una buena medida de esfuerzo y sacrificio por ambas partes. Y a pesar de la buena voluntad, la relación contará con ciertos desengaños.

- **Mantener viva la sexualidad**. La insatisfacción sexual, como ya se ha señalado, puede ser razón para que se busquen otras opciones que destruirán el matrimonio. Por tanto, este aspecto no debe descuidarse en la relación.

- **Los sentimientos amorosos y románticos**. La relación llena de detalles románticos y de palabras y actos cariñosos es fundamental para mantener viva la llama del amor. Esto es de especial significado para las mujeres. Resulta, pues, importantísimo no caer en la rutina que no expresa el afecto mutuo.

Desde luego, una de las formas de prevenir el divorcio es no embarcarse en un matrimonio que cuenta con un alto riesgo de problemas y que puede estar abocado al fracaso. El cuadro *Razones no válidas para casarse*, en la página 45, ofrece una muestra de estas situaciones, aunque siempre hay posibilidades de salvar matrimonios difíciles.

viene de la página 142

3. **La mejora económica**. Las regiones del mundo más opulentas arrojan los índices más altos de divorcio. Este requiere medios económicos o posibilidades de sobrevivir tras la ruptura, especialmente en el caso de la mujer, cuya subsistencia autónoma está vetada en muchos países.

4. **El estilo de vida**. El entorno estresante de nuestros días favorece la impaciencia, la hostilidad y la intolerancia. Al llevar estos rasgos a la pareja, la convivencia se hace más difícil. Y entonces se contempla el divorcio como opción.

5. **La cultura del divorcio**. Independientemente del nivel económico hay países que poseen una cultura del divorcio. En estos lugares los divorcios tienen una larga tradición y han sido habituales durante años en todas las escalas sociales. Como consecuencia, los pasos a seguir están bien definidos y son parte de la vida normal.

6. **La aprobación social**. Cada día es más frecuente encontrarse con parejas que provie-

nen de matrimonios previos, con hijos que conviven con hermanos de distintos padres, y con suegros con dos hijos y cuatro nueras. Esta incidencia del divorcio ha hecho que ya no tenga el estigma social que una vez tuvo, haciendo más llevadera la vía del divorcio.

7. **La ausencia del componente religioso**. Como ya se vio en el primer capítulo, el matrimonio es un invento divino, integrado en la existencia humana desde el principio y con un carácter sagrado. Cuando las personas desplazan el significado religioso de sus vidas, también lo retiran del matrimonio. De esta manera, el matrimonio se convierte en un contrato entre dos sujetos (sin la autoridad divina). El contrato puede rescindirse cuando ambas partes lo estimen conveniente, concepto muy diferente del matrimonio religioso, solo disoluble en circunstancias extremas y muy concretas.

Muchos matrimonios con problemas contemplan el divorcio como una vía de escape a los conflictos en la pareja. Pero el divorcio no es una salida fácil. De hecho, un proceso de divorcio es una de las experiencias más traumáticas que pueda vivirse. El cuadro de las páginas 146 y 147 ofrece una relación de las principales fases del divorcio, que muestran cuán duro es este proceso. Se necesita, por tanto, agotar todos los medios disponibles para alcanzar un nivel aceptable de satisfacción y prevenir así el divorcio.

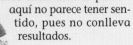

El alto poder curativo del perdón

En la relación de pareja debe haber siempre lugar para el perdón, una experiencia altamente gratificante, tanto para quien lo otorga como para quien lo recibe. Cuando uno de los cónyuges hiere al otro de manera profunda, se produce un desajuste importante en la relación. Y en estos casos es necesario restaurar el equilibrio. Si no se hace así, se corre el riesgo de deterioro e incluso quebranto de la relación. El perdón constituye la vía indicada para devolver la salud a la relación conyugal.

El doctor **Mario Pereyra** propone las siguientes cuatro etapas del perdón. Estos estadios muestran claramente el poder terapéutico del perdón cuando hay una buena comprensión de este proceso entre ambos cónyuges.

1. **Toma de conciencia moral**. Para poder iniciar el proceso del perdón, quien ha ofendido ha de apercibirse de su actitud o conducta ofensiva. En el argot psicológico se habla del *insight* o despertar íntimo y súbito sobre el error moral cometido. Por ejemplo, el esposo que ha sido infiel a su esposa no podrá beneficiarse del perdón de ella, a no ser que esté plenamente convencido de la inmoralidad de su comportamiento. Sin este paso inicial no podrá iniciarse experiencia rehabilitadora alguna.

2. **Decisión**. Una vez hecha la toma de conciencia moral, el sujeto cuenta con diversas alternativas de salida a su situación. Es un momento de encrucijada: «He ofendido y estoy verdaderamente arrepentido, ¿qué hago? ¿Confieso y pido perdón, o encubro la falta y vivo solo con mi culpa?» La primera opción es la más saludable, pues la segunda está abocada a graves problemas de salud mental, aparte del deterioro progresivo de la relación.

3. **Petición de perdón**. Los pasos 1 y 2 van llenos de tensión interna, de lucha íntima en la conciencia del ofensor. Pero, una vez tomada la decisión por el perdón y la reconciliación, viene la acción propia de esta etapa: confesar, pedir perdón, reconocer la falta propia de forma explícita, cara a cara. Cuando esta acción es genuina, tiende a

motivar una reacción de magnanimidad en el cónyuge, siéndole más fácil otorgar el perdón.

4. **Más allá del perdón**. Después de haberse producido el perdón, el ofensor necesita reparar el daño, es decir, hacer todo lo posible para que ocurra una verdadera restauración. Además, el perdón abarca un auténtico "olvido" del pasado por parte del agraviado, así como un firme propósito por parte del ofensor para no volver a caer en el error.

Este proceso contiene un alto poder curativo; mediante su utilización, la relación puede llegar a alcanzar cotas de compenetración y felicidad aun superiores a las iniciales. Sin embargo, es necesario alertar que, con frecuencia, especialmente en casos de abuso constante o repetido adulterio, el proceso puede no funcionar. En efecto, existe un arrepentimiento aparente (fruto del simple remordimiento) pero, obtenido el perdón, la situación vuelve a repetirse, entrando en un círculo diabólico del que resulta cada vez más difícil salir. El perdón aquí no parece tener sentido, pues no conlleva resultados.

LA VERDADERA DIMENSIÓN DEL DIVORCIO: SEIS DIVORCIOS EN UNO

Divorciarse no es cosa simple. Requiere ocuparse de varias parcelas que se resuelven en tiempos diferentes. Esto transforma el proceso en algo largo, lento y doloroso. De hecho, los divorcios que conllevan hijos pueden no acabar nunca, pues uno puede divorciarse del cónyuge pero no de los hijos.

Paul Bohannan comparó el divorcio a un prolongado viaje en tren, con seis paradas en seis estaciones distintas, en el que hay que resolver importantes y difíciles asuntos en cada una de ellas (Bohannan, P., 1970). Es como si un divorcio fuera, en realidad, seis divorcios.

• **Divorcio emocional.** Antes de que el divorcio se haga público y oficial, la pareja pasa por un periodo de fuertes cambios emocionales. Es una etapa penosa en la que uno o ambos han decidido dar el paso legal. El amor que una vez hubo se torna en odio, en resentimiento, en hostilidad. Algunas personas sienten tanto dolor psíquico que acuden al alcohol o a otras sustancias en un intento de apartar el tema del pensamiento. Hay quienes caen en la depresión, otros contraen alguna enfermedad, por las pocas defensas que la preocupación les deja. Una emoción bastante generalizada es la soledad, ya que, de puertas afuera, el matrimonio parece funcionar, pero en realidad cada cónyuge se siente tremendamente solo.

• **Divorcio legal.** Llega el día cuando hay que presentar los papeles del divorcio. En cada país la legislación al respecto es diferente. Pero todos piden una larga lista de documentos, declaraciones y trámites. La experiencia es muy desagradable y acentúa la frustración. A estas alturas, la pareja ya no convive, pero ha de entrar en contacto para recabar información, intercambiar papeles, acudir a firmar, etcétera. Además de los muchos sinsabores, hay que encarar una lista de gastos burocráticos que pueden alcanzar una suma respetable.

• **Divorcio económico.** La distribución de los bienes es otro capítulo escabroso. Qué hacer con la vivienda, el coche, la cuenta de ahorros, el dinero invertido, o los muebles, son cuestiones que entrañan gran dificultad. Y en momentos de fuerte tensión emocional las soluciones se hacen aún más complejas. A veces, las disputas se centran en cuestiones triviales, pero cargadas de emotividad («¿Quién se lleva la lámpara que compramos en Praga? ¿Y el perro?»). Y después del mal reparto viene el adaptarse a una etapa económica nueva y con frecuencia más difícil. La mujer, casi siempre peor parada económicamente, ha de ajustarse a unos ingresos más limitados con gastos equiparables a los del tiempo de casada. El hombre, quizá con las mismas entradas, descubre que el dinero no alcanza como antes, debido a gastos que no existían en presencia de la esposa.

- **Divorcio paternal**. De entre todos los aspectos del divorcio, quizá sea este el más cargado de emociones y de dificultades. ¿Quién merece la patria potestad? ¿Qué es lo mejor para los hijos? ¿A cuánto ascenderá la pensión por alimentos? ¿Quién pagará los gastos escolares? ¿Cada cuánto y por cuánto tiempo podré visitar a mis hijos? Aun cuando estas dificultades se hayan salvado sobre el papel, su aplicación y seguimiento suelen ser tortuosos. Muchos padres (o madres) dejan de pagar la pensión estipulada. Algunos padres y madres manipulan a sus hijos para que dejen de querer al otro progenitor. Ciertas madres (o padres) no consienten las correspondientes visitas que han sido dictadas por el juez. Como respuesta, el padre (o madre), frustrado por la situación, "rapta" al hijo para que pase un tiempo con él (ella). Y así se prolonga el litigio hasta que los niños alcanzan la mayoría de edad. A veces, el joven que se crió, por ejemplo, con su madre, muestra fuertes deseos de conocer más al padre y decide irse a vivir con él. Esto irrita, preocupa y frustra a la madre, haciendo que el divorcio no termine nunca.

- **Divorcio extrafamiliar**. El divorcio no sucede solo en el círculo familiar íntimo (padres e hijos) sino que acontece en medio de un entorno social, en una comunidad de personas ligadas a la familia: amigos, vecinos, parientes, compañeros de trabajo, compañeros de ocio y otros. Durante la etapa de casados, la pareja se ha relacionado con todas estas personas. Con el divorcio, se presentan los retos de cómo mantener estas relaciones, qué explicaciones dar, ¿a quién creerán?, etcétera. Las familias de origen se ponen del lado correspondiente y se ocupan de hacer campaña contra el cónyuge opuesto, culpándole del divorcio. Quienes escuchan a una de las partes, le dan la razón y se ponen en contra del adversario. Muchos buenos amigos de la pareja se retiran completamente para evitar conflictos ya que es difícil ser buen amigo de ambas partes. Esto deja a los divorciados con la tarea de empezar nuevas amistades.

- **Divorcio psicológico**. El divorcio psicológico se refiere a la tarea de alcanzar autonomía e independencia psicológicas, separado/a ya de la influencia del ex cónyuge. No cabe duda de que al convivir con la misma persona durante un periodo prolongado de tiempo, se adquieren ciertas dependencias mentales y conductuales que, en su ausencia, requieren una adaptación. El apoyo que una vez se tuvo en el cónyuge ha de recibirse de otras personas o grupos. Familia, amistad íntima, o grupo de autoayuda pueden ser opciones satisfactorias. Un riesgo implícito en esta tarea de alcanzar apoyo es encontrar a alguien del sexo opuesto y acabar en un matrimonio de rebote. Esta salida casi nunca es recomendable.

Las diferencias y cómo salvarlas

Una de las causas de confrontación y ruptura matrimoniales es el desconocimiento total de las diferencias que, *a priori*, existen entre varones y mujeres. El cuadro de esta página y la siguiente bosquejan dichas diferencias, tanto de cariz psicológico como biológico. Las diferencias inherentes a ambos sexos, bien entendidas y aceptadas, pueden servir para suplir deficiencias propias de cada una de las partes. De esta forma la pareja llega a formar una entidad más completa y consolidada.

Las diferencias físicas son indisputables y afectan en parte a la conducta de hombres y mujeres. Las diferencias psicológicas pueden derivarse de la cultura, la socialización y el ambiente general. Pero es cierto que cualquiera que sea su origen, las diferencias existen y deben utilizarse de la manera más provechosa.

Conocer bien estas diferencias es fundamental si se espera disminuir el riesgo de divorcio y tener éxito en la relación de pareja. Es curioso que para conducir un automóvil o hacer un montaje eléctrico se necesita un carné que acredite la preparación debida. Sin embargo, para embarcarse en un matrimonio (que es donde se forman hábitos, pensamientos, conductas y donde se educa a niños y jóvenes para el resto de la vida) no se exige ni un cursillo de una semana.

Los aspirantes al matrimonio deberían rendir un examen que abarcase las lecciones básicas de la convivencia matrimonial. Una de

Diferencias psicológicas

Mujer

1. Orientada hacia la gente, con más posibilidades de establecer relaciones interpersonales óptimas.
2. Predominantemente verbal. Afronta los problemas hablando y en las discusiones es raro que llegue a las manos.
3. Predominantemente emotiva.
4. Posee un alto grado de intuición.
5. Proyecta sus emociones y su propia identidad en el trabajo que lleva a cabo. Esto explica por qué la mujer suele apasionarse más con sus tareas.
6. Se interesa por los detalles humanos y personales y por las anécdotas.

Hombre

1. Orientado hacia las cuestiones prácticas, las tareas, las obligaciones y las cosas, más que hacia las personas.
2. Predominantemente físico. Afronta los problemas actuando y en las discusiones puede llegar a las manos.

3. Eminentemente práctico.
4. La intuición decrece para dar paso a la lógica.
5. Mantiene su identidad al margen del trabajo. Esto explica por qué el hombre realiza sus tareas de manera intensa pero objetiva.
6. Se interesa por los hechos y por los datos, más que por las cuestiones y detalles personales.

Diferencias biológicas

Mujer

1. Cuenta con una dotación constitucional que le hace vivir más años.
2. Su metabolismo es más bajo que el del hombre.
3. En promedio posee una estructura ósea diferente a la del hombre, siendo menor en la cara y piernas, y mayor en el tronco.
4. Tiene ciertos órganos (riñones, hígado, estómago, apéndice y glándula tiroidea) de mayor tamaño que el varón.
5. Posee funciones exclusivas: menstruación, gestación, lactancia.
6. Cuenta con más contenido acuoso en la sangre y con el 20% menos de glóbulos rojos.
7. Su proporción muscular es del 23% de la masa corporal.
8. La pulsación media por minuto es 80.
9. Cuenta con mayor resistencia a las altas temperaturas que el varón.

Hombre

1. El hombre vive, por término medio, seis o siete años menos que la mujer.
2. Su metabolismo es más elevado que el de la mujer.
3. La formación ósea de la cabeza es mayor, la barbilla más prominente y la cara más estrecha.
4. Los pulmones del hombre son en promedio mayores que los de la mujer.
5. El sistema hormonal es diferente y eso le hace carecer de las funciones fisiológicas propias de la mujer.
6. La composición sanguínea es diferente, con menos agua y más glóbulos rojos que la mujer.
7. Su proporción muscular alcanza el 40% de la masa corporal.
8. La pulsación media por minuto es 72.
9. Su metabolismo limita el umbral de resistencia a altas temperaturas.

esas lecciones debería versar sobre las diferencias entre hombres y mujeres, y cómo salvarlas. He aquí algunos puntos importantes de esta lección fundamental:

• **La mujer necesita hablar**. La inmensa mayoría de las mujeres requiere una buena dosis de conversación para mantener su integridad emocional. La mujer necesita hablar y alguien que la escuche con genuino interés y cariño. Necesita conversar sobre infinidad de detalles, personas y temas. Es parte de la psicología femenina. Muchas mujeres satisfacen esta necesidad con la amiga o la vecina; pero el matrimonio marcharía mucho mejor si el esposo estuviera dispuesto a cumplir esta misión de buena gana.

• **El hombre necesita hacer**. Mientras que la mujer resuelve sus problemas hablando, el hombre da soluciones con la boca cerrada, actuando. Esto se observa en la casa, cuando arregla los grifos, repara el coche, o taladra las paredes. También se observa en los juegos, deportes y entretenimientos. Jugar al fútbol, o al tenis, pescar, etcétera. Se trata de "hacer cosas". Y la mujer debe entender bien esta necesidad. Lo ideal es que la esposa sea una buena compañera de juego del marido. Pero, si a ella

no le gusta ninguno de los entretenimientos de su esposo, al menos debe darle el parabién para que él practique con sus amigos algún pasatiempo.

• **Las hormonas femeninas crean en la mujer necesidades especiales**. La mujer está sujeta a un ciclo menstrual bastante predecible, que presenta unas características específicas durante los días que preceden al comienzo de la regla. Algunas mujeres acusan estos cambios hormonales tan marcadamente que padecen el "síndrome premenstrual", que afecta al 8 o al 10% de las mujeres [Wurtman, R. J. y Wurtman, J. J., *Scientific American*, 260 (1)]. Sin embargo, todas las mujeres en mayor o menor medida se ven afectadas de alguna forma: variaciones en el estado de ánimo, ansiedad, irritabilidad, dolores de cabeza, de espalda, mareos, o estreñimiento (*American Council on Science and Health.*, 1985). El compañero debe estar alerta en estos días y ser especialmente tolerante, tratándola con más cariño y atención, y estando dispuesto a apoyarla.

• **Las hormonas masculinas hacen al hombre especialmente sensible a la sexualidad**. El hombre está sujeto a un impulso sexual más acentuado y más frecuente que la mujer. Cualquier pequeño estímulo despierta su apetito sexual y rápidamente se muestra dispuesto a satisfacerlo. En un contexto de diálogo y respeto mutuo, la mujer debe enten-

der estas necesidades afectivo-hormonales y ayudar a su compañero a satisfacerlas.

- **La mujer está orientada hacia la familia y las amistades**. La familia en especial y también los amigos son un foco importante de la socialización femenina. Es frecuente, pues, ver cómo la esposa organiza una visita (o invita a casa) a los padres, o a los hermanos, o a los amigos o compañeros de trabajo. Hay hombres que miran esto con indiferencia, a otros les molesta. En todo caso, esta necesidad social, más acentuada en la mujer, ha de ser respaldada y respetada en todo lo posible por el hombre.

- **El hombre está orientado hacia el círculo laboral**. El oficio o profesión es una prioridad para la mayoría de los hombres y por ello invierten en él una buena parte de sus energías. Unido a este compromiso está la necesidad de apoyar material y económicamente a su familia. Esto lo perciben los hombres como algo muy importante. Es, pues, necesario que la esposa comprenda esta fuerte tendencia varonil a adoptar el papel sustentador y apruebe esta actitud, siempre que no llegue a un extremo o se convierta en un riesgo para su salud.

Como en todo, estas generalidades varían en parejas cuyos miembros caen en extremos opuestos o cuentan con necesidades diferentes. En estos casos tendrán que alcanzar el necesario entendimiento para resolver sus problemas particulares. Lo importante es conocer bien esas diferencias, y hacer todo lo posible por comprender y atender esas peculiaridades para edificar un matrimonio satisfactorio y prevenir el divorcio.

Efectos del divorcio sobre los hijos

Sin excepción de edad o circunstancias, los hijos siempre llevan una parte amarga en todo proceso de divorcio. Durante las últimas décadas han ido acumulándose los estudios psicológicos y sociológicos encaminados a identificar las heridas y cicatrices que el divorcio produce en los menores. Los resultados:

• Estudios que afirman que el divorcio deja huellas indelebles que los acompañan hasta su edad adulta (Wallerstein, J. S. y Blakeslee, S., 1996).

• Estudios que mantienen que el divorcio afecta seriamente a los menores durante una época limitada (generalmente dos años a partir de la ruptura) para volver después a la normalidad (Buchanan, C. M., Maccoby, E. E. y Dornbusch, S. M., 1996).

Ningún estudio sostiene que el proceso de divorcio no afecte en nada al desarrollo normal de los **hijos**. A todos les *afecta dolorosamente*.

El efecto depende en gran parte de las dificultades infantiles ya presentes antes del divorcio. Los niños que arrastran problemas, sufren en extremo con el divorcio. En cambio, quienes antes del divorcio no tenían dificultades, alcanzan antes la normalidad.

Efectos adversos del divorcio en los hijos

He aquí algunos de los efectos adversos que el divorcio puede dejar en los hijos:

• **Alteraciones emocionales**, puestas de manifiesto mediante llanto, irritabilidad, o preocupación indefinida.

• **Conductas indeseables** tales como agresividad hacia otros niños o sus hermanos, o alejamiento social, aislamiento.

• **Síntomas depresivos**: falta de apetito o alteraciones en el sueño, especialmente despertar sobresaltado en medio de la noche.

• **Problemas escolares**: fuerte descenso en el rendimiento académico o problemas de conducta en el colegio.

• **A largo plazo**, los hijos de familias de divorciados tienden a experimentar más problemas de relación en el noviazgo y en el matrimonio.

Los niños deben contar con el apoyo suficiente para hacer frente a estos momentos difíciles. Los padres, habitualmente la principal fuente de alivio emocional de sus hijos, están ahora afectados de lleno por el divorcio. Por ello, durante esta etapa transitoria, el papel de los maestros, los abuelos, o los familiares o amigos de la familia resulta valiosísimo para ocupar a los niños en tareas y conversaciones positivas que los ayuden a sobrellevar el divorcio de sus padres con el menor daño posible. Cuantas más disputas haya entre los padres, más **problemas psicológicos** aparecerán en los hijos.

El riesgo se acentúa especialmente cuando los niños presencian las peleas o son ellos los objetos de la riña (por ejemplo, en relación con los derechos de visita, o el pago de los gastos por los hijos). Si no se evitan, estos altercados, por mucho que queramos separarlos de la experiencia infantil y juvenil, harán que los hijos **se sientan involucrados** en el conflicto.

A veces aparecerá algún asunto escabroso que debatir. En estos casos, la solución debe considerarse en privado y fuera del alcance de los niños. Es siempre mejor utilizar un lugar público, como un parque, o un café en donde pueda dialogarse con tranquilidad.

Cómo ayudar a niños y adolescentes a sobrellevar el divorcio de sus padres

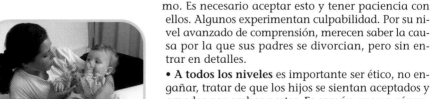

En muchos países del mundo el divorcio está en alza. Esto significa que cada vez hay más menores afectados por tal acontecimiento. Para muchos, el divorcio los coloca en una situación peor que la anterior. Para otros, víctimas de la violencia o el abuso, el divorcio es un alivio. Pero en todo caso, llegar a la normalidad será largo y escabroso, dejando en ocasiones marcas muy duraderas.

Son los padres quienes necesitan hacer el mayor esfuerzo para ayudar a sus hijos a pasar por este trago con el menor riesgo posible. Su acción va encaminada en dos direcciones: primero, hacia sus hijos, ofreciéndoles explicaciones válidas y mensajes de afecto; y segundo, hacia el ex cónyuge, relacionándose con él/ella de manera que los hijos queden libres de efectos adversos derivados de posibles disputas.

Cómo explicarles el divorcio

Dependiendo de la edad del niño, las explicaciones deben estar ajustadas a su nivel:

- **Los menores** de dos años no entienden ni necesitan entender lo que significa el divorcio, pero sí se ven afectados por los cambios de rutina. Por eso, la mejor manera de tratar a los más pequeños es conservar meticulosamente sus rutinas: sueño, alimentación, juego, etcétera.

- **Los preescolares** (3 a 6 años) ya tienen cierta capacidad para saber lo que significa la ausencia o presencia de uno de los padres. Por ello, es inútil y hasta pernicioso disimular y actuar como si nada hubiera cambiado. Ciertas preguntas e inquietudes han de contestarse con brevedad y sinceridad para bien de los niños. «¿Con quién voy a quedarme?» «¿Dónde estarán mis juguetes?» «¿Todavía me quiere papá?» «¿Todavía me quiere mamá?» «¿Me van a dejar solo/a?»

- **Los escolares** (6 a 12 años) necesitan respuestas más elaboradas pero sin entrar en detalle. Quieren saber lo relacionado con su rutina, las horas, los días que pueden estar con su padre (o madre), si van a volver sus padres a unirse otra vez. Un aspecto sumamente importante es el riesgo de sentirse culpables o responsables del divorcio. Muchos niños creen que ellos son la causa de la separación de sus padres. Necesitan oír claramente por boca de ambos progenitores que este asunto viene de problemas entre papá y mamá y que ellos no tienen culpa alguna. También ha de explicárseles cómo contestar a los compañeros y amigos que les preguntarán, ya que lo que piensen los demás empieza a ser muy importante para los niños de esta edad.

- **Los adolescentes** (13-18 años) Los muchachos y muchachas en edad adolescente pueden verse considerablemente afectados por el divorcio de sus padres. Algunos pueden hasta optar por el suicidio, o por conductas antisociales. El adolescente tiende a mostrar enojo hacia los padres y hacia sí mismo. Es necesario aceptar esto y tener paciencia con ellos. Algunos experimentan culpabilidad. Por su nivel avanzado de comprensión, merecen saber la causa por la que sus padres se divorcian, pero sin entrar en detalles.

- **A todos los niveles** es importante ser ético, no engañar, tratar de que los hijos se sientan aceptados y amados por ambas partes. Es común que un cónyuge dolido utilice a los hijos como paño de lágrimas, pero es preciso que antes de hacer esto piense: ¿Es lo que más conviene al niño?

Cómo relacionarse con el ex cónyuge

La amistad excesiva queda fuera de lugar para los divorciados. Tampoco la hostilidad está indicada, pues es dañina para todos. La mejor relación entre ex cónyuges es la **correcta, distante y desprovista de sentimientos**. Algo así como una relación comercial.

Aun extremando todo cuidado, hay veces en que algún asunto relacionado con los hijos o con los acuerdos pactados en el divorcio, puede no encontrar solución mutua. En casos extremos debe recurrirse a un mediador imparcial (amigo de ambos ex cónyuges o psicoterapeuta) que arbitre la situación y sugiera acuerdos razonables para ambas partes.

Para conseguir pasar por todas estas dificultades de manera íntegra, es necesario el apoyo de otras personas de más o menos cualificación profesional. Ya sea a través de unas

cuantas sesiones psicoterapéuticas, o mediante el apoyo de un confidente (amigo o familiar), o por la asistencia a un grupo de autoayuda en donde se reúnen personas con similar experiencia, el/la divorciado/a necesita estar en contacto con personas que ofrezcan un ambiente social óptimo en el que encuentre cariño y aceptación. En todo caso, el paso del tiempo es un factor decisivo en la superación del divorcio.

Vivir sin rencores

Durante muchas décadas se creyó que reprimir la ira y el enojo era peligroso para la salud mental. En la actualidad esta idea no se considera válida. Al contrario, hoy se mantiene:

- El **rencor** acumulado, o su pariente muy cercano la **ira**, produce más **tensión** y **destrucción** que ninguna otra emoción.
- *Enojarse no es bueno para el bienestar emocional*. Mantener los rencores solo perjudicará la salud y la felicidad.
- *Los rencores no los crea el otro, se generan en uno mismo*. Aunque otras personas pue-

dan ayudar en su desarrollo, el rencor se genera en nuestros propios pensamientos y actitudes. Hay que **encauzar** esta emoción negativa para que no termine perjudicándonos.

- La ausencia de rencor provoca un **respeto** profundo por parte de la otra parte.

La solución no es fácil, pero quizás convendría pensar en aquella sentencia de Albert Einstein: *«La paz no se mantiene por la fuerza, solo se alcanza comprendiendo al contrario»*.

No se nos pide que pasemos de la hostilidad al cariño. Pero sí, como decíamos al principio de esta unidad, es deseable que la relación entre ex cónyuges sea **respetuosa**, correcta, no exenta de **cierta distancia**. En definitiva la **paz sin rencores** con un estado de ánimo en el que deseemos de corazón lo mejor para él/ella a partir de ahora. Porque deberíamos seguir aspirando a ser felices.

Sumario de este capítulo

En la tercera edad

7

EDUARDO Y MARTA contrajeron matrimonio hace cuarenta años y ahora entran juntos en la etapa de la jubilación. Tienen tres hijos casados y cinco nietos. Atrás quedan empleos diversos, varios domicilios, momentos de ansiedad, de incertidumbre, de crisis de salud, e infinidad de recuerdos agradables llenos de felicidad. El saldo total es positivo. Están contentos por el camino que han recorrido juntos. También se regocijan de haber llegado en condiciones óptimas a la jubilación.

Ya tienen planes concretos. Él, en su ocupación de contable, nunca tuvo el tiempo suficiente para dedicarse a lo que le gusta: la ebanistería. Y además, leerá mucho. Marta, que hasta ahora ha sido dependienta de unos grandes almacenes, va a hacer cortinas nuevas para toda la casa y para las de sus hijos y además tiene otros proyectos... Juntos saldrán de paseo todas las tardes y visitarán a familiares y amigos de vez en cuando.

En estos tiempos de crisis conyugal y familiar, llegar a la jubilación casados y felices puede considerarse un gran logro. También lo es el afrontar la etapa del retiro con éxito.

Características de la pareja en la tercera edad

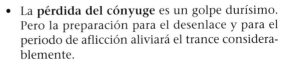

- La **jubilación** en pareja es una etapa con retos específicos; pero con la debida preparación y actitud puede constituir una experiencia maravillosa.

- La prudencia, el orden y el dominio propio son rasgos determinantes de la **longevidad**.

- La pareja que se prepara para la **economía** de la jubilación, no experimenta dificultades, a pesar de la reducción de ingresos.

- Aunque con menos frecuencia que antes, la pareja jubilada cuenta con la capacidad para practicar y **disfrutar del acto sexual.**

- La mayoría de los **accidentes domésticos** de los mayores pueden evitarse aplicando unas pocas y sencillas **medidas preventivas.**

- La **pérdida del cónyuge** es un golpe durísimo. Pero la preparación para el desenlace y para el periodo de aflicción aliviará el trance considerablemente.

- En algunos casos, la **depresión** es una amenaza real para quienes pierden al compañero o compañera de su vida. No obstante, el problema tiene buen pronóstico si se trata debidamente.

- La **fe** y la **experiencia religiosa** son factores de triunfo en el difícil periodo de aflicción.

- El **envejecimiento** conlleva el deterioro de facultades físicas y mentales. Sin embargo, el proceso puede retardarse considerablemente con el uso continuado de dichas facultades.

- Resulta evidente que un **estilo de vida** adecuado no solo añade años a la vida, sino también vida a los años.

- La **buena alimentación**, junto con un plan de ejercicio físico moderado y regular, son los dos factores más decisivos para la buena salud física y mental de los mayores.

- La fe en Dios y la **esperanza** en la resurrección final para alcanzar una existencia completamente feliz constituyen un apoyo decisivo para hacer frente a la muerte con confianza y dignidad.

Planifica tu economía para la jubilación

Excepto en raras ocasiones, la jubilación anuncia una reducción de ingresos; y esta merma se acrecienta con la viudedad. Pero el hecho no tiene por qué resultar traumático si se han hecho los preparativos necesarios y se cuenta con una actitud correcta. Los siguientes consejos han ayudado a muchos a afrontar esta etapa.

1. **Adoptad un estilo de vida sencillo**. Posiblemente sea este el principio más útil y fundamental para evitar la quiebra económica y salir adelante aun con medios reducidos. Esto es bueno hacerlo no solo en la jubilación, sino mucho antes de ella. Así, al retiraros, habréis aprendido a deleitaros de las cosas sencillas y no necesitaréis de pasatiempos ostentosos.

2. **Adquirid vuestra propia vivienda**. El gasto primordial en la mayoría de los presupuestos familiares es el alquiler o hipoteca de la vivienda en la que se habita. Es sabio invertir en un plan de compra que permita, con el paso de los años, ser propietarios del piso o casa en la que se vive. Para el momento de la jubilación, ya no existirá la deuda que requería una parte importante de los ingresos.

3. **Planificad vuestro hogar de retiro**. Con frecuencia las familias viven en los lugares adonde les lleva el trabajo. Al terminar la etapa laboral, la pareja jubilada tiene la opción de mudarse a una zona periférica o rural. Esto ayuda no solo a ganar paz y sosiego, sino también a reducir los gastos, pues las zonas urbanas tienden a ser bastante caras. Pero, atención, considerad también vuestras necesidades sociales. Es decir, trasladarse a 300 kilómetros de la familia y de los amigos puede ser mucho más barato, pero no convenir desde el punto de vista de la interacción social y familiar.

4. **Invertid vuestros ahorros**. Si durante la etapa laboral contáis con ahorros adicionales, buscad alguna manera segura de invertirlos. Con los años, una pequeña inversión puede llegar a ser significativa y los beneficios utilizarse para complementar la pensión o para ayudar a un hijo a establecerse.

5. **Aprended a ser felices**. Si bien es cierto que el carecer de lo más esencial interfiere en la felicidad y la satisfacción personal, la condición de feliz no está ligada a los ingresos. La felicidad no se compra, se aprende. Aprended a disfrutar de vuestra situación particular. En vez de querer ser como los vecinos por parecer más felices que vosotros, sed vosotros mismos y gozad de la vida. Recordad... no tiene más quien más tiene, sino quien menos necesita.

Planificar la jubilación

La transición de la vida laboral a la jubilación puede estar llena de satisfacción o desengaño para la pareja. Una preparación que abarque todos los ámbitos relevantes facilitará la transición y proporcionará años de felicidad en esta etapa.

Antes de pasar a las áreas específicas que merecen considerarse en la planificación, hemos de advertir que la etapa de jubilación no está tan clara y delineada como en el pasado. Hay empleos que permiten la jubilación a los 60-62 años, otros a los 68-70. También existen opciones intermedias o paulatinas hacia la ausencia total de empleo: trabajo a tiempo parcial, contratos temporales, trabajo voluntario, *freelancing*, etcétera. Hay quienes no encuentran aliciente en continuar trabajando más de lo obligatorio, otros hallan gran satisfacción en continuar activos en la profesión y en el trato con sus colegas.

Cuando contemplamos el matrimonio, el cuadro se complica más. Si ambos cuentan con empleo remunerado (circunstancia más común cada día), la edad de jubilación puede variar considerablemente, dependiendo de las respectivas profesiones y de la diferencia de edad entre marido y mujer. En estos casos, los miembros de la pareja han de estar preparados para hacer cambios de importancia en sus funciones mientras esperan la jubilación de la esposa (o el esposo).

Aspectos que requieren planificación

El primer paso en la preparación hacia la jubilación es **renegociar la relación** para alcanzar un nuevo equilibrio que sea satisfactorio para ambos. Esto abarca nuevos objetivos, nuevo reparto de papeles, nueva rutina (actividades, etc.), un nuevo enfoque en la relación mutua y con los amigos y familiares; y, por último, una nueva economía que, a su vez, determinará un

Nuevo reparto de funciones y papeles

Prepararse para el nuevo reparto de funciones y papeles es muy útil y no hacerlo puede resultar conflictivo. Hay mujeres que temen la jubilación del esposo porque presienten problemas con el marido sin trabajar en todo el día. Otras temen que él interferirá en las tareas domésticas que siempre han sido del dominio femenino. Por su parte, hay hombres que, por haber trabajado toda su vida, creen tener derecho al ocio total, mientras que ella espera que ahora su marido le eche una mano en las tareas domésticas ya que el ama de casa no se jubila nunca.

Evita la rigidez

La flexibilidad constituye la mejor profilaxis de la crisis de distribución de tareas. Los resultados de investigaciones muestran que aquellos que son flexibles están mejor preparados para los cambios y gozan de mayor felicidad y satisfacción que los rígidos en su forma de pensar. Marido y mujer han de dialogar, expresar sus sentimientos y expectativas y negociar hasta alcanzar acuerdos con los que ambos estén razonablemente satisfechos. A fin de estar preparados para un futuro incierto y entenderse mejor mutuamente, es bueno pensar en cambiar de vez en cuando las tareas y funciones que están a cargo de cada uno.

Las actividades cotidianas

Quienes aguardan hasta el primer día de jubilación para preguntarse *«¿Y qué hago yo ahora?»*, no cuentan con un buen pronóstico. Las actividades cotidianas de la jubilación necesitan planificarse de antemano en pareja. Aquí también es necesario dialogar y negociar. Hay que preguntarse: ¿Dónde y cómo viviremos? ¿Cómo vamos a desarrollar nuestras necesidades de ejercicio físico? ¿En qué ámbito social nos desenvolveremos? ¿Cómo vamos a proyectar nuestro deseo de ayudar a otros? ¿Cómo satisfaremos las necesidades espirituales?

nuevo estilo de vida, quizá más frugal, pero no menos satisfactorio.

Nuevos objetivos y metas

Es necesario establecer nuevos objetivos y metas en la preparación para la etapa del retiro. Los objetivos de tipo profesional dejarán de ser prioritarios y la pareja necesita pactar los nuevos en común. Esto conlleva un profundo diálogo sobre preguntas en relación con la jubilación. Por ejemplo:

- "¿Cuáles serán nuestras prioridades, objetivos, metas?"
- "¿Qué responsabilidades nuevas tendré?"
- "¿Qué responsabilidades nuevas tendrás?"
- "¿Qué actividades realizaremos día a día?"
- "¿Cuánto tiempo pasaremos juntos?"
- "¿Cómo nos relacionaremos con los hijos y nietos?"
- "¿Cómo podemos apoyarnos mutuamente?"
- "¿Qué haré si tú falleces? ¿Y si yo fallezco primero?"

La consideración previa de estas preguntas ayudará a hacer arreglos antes de que sea demasiado tarde. Si el deseo de ambas partes es practicar un deporte (por ejemplo, la natación), sería bueno comenzar ya, años antes de la jubilación, a asistir juntos a alguna piscina o curso de natación de forma regular. O si parte del objetivo es trasladar la vivienda de la zona urbana a la rural, los preparativos para comprar una casa en el campo pueden hacerse con tiempo para prevenir gastos excesivos.

En todo caso, ambos cónyuges deben adoptar posturas pensadas, metódicas y bien planificadas. Después de todo, estos rasgos van asociados a una vida más larga y satisfactoria. Véase el cuadro de la página 163.

La vida social de la pareja

También, como ya hemos apuntado, debe planificarse la vida social de la pareja. El contraste entre la ocupación sin tregua de la vida laboral y la abundancia de tiempo libre en la jubilación puede resultar chocante. Como resultado, la pareja se siente agobiada por la presencia mutua permanente, no dejando suficiente espacio para estar solo/a o para desarrollar cierta interacción social fuera del matrimonio. Conviene recordar este hecho y hacer pactos mutuos. En la mayoría de los casos, *es conveniente que la pareja se integre en otros medios* (por ejemplo, clubes o grupos de amigos de la tercera edad), ya sea juntos o por separado.

Es necesario alcanzar **acuerdos en lo tocante a la familia**: hijos, hermanos y otros parientes. La pareja debe pactar la cantidad de relación que mantendrán con los diversos componentes familiares. En un ambiente distendido, conviene expresar los deseos y sentimientos individuales. A veces, encontraremos puntos escabrosos, especialmente cuando se trata de compromisos significativos y a largo plazo; por ejemplo, cuidar de los nietos de forma sistemática y regular. Es de suma importancia para la pareja de la tercera edad evaluar estas situaciones con la calma y madurez que da la experiencia. Las soluciones que son producto de la negociación son las que contarán con mayor probabilidad de éxito.

La economía

Un área de suma importancia que requiere una preparación cuidadosa es la economía y las finanzas de la pareja durante la jubilación.

En los países con pensiones de la seguridad social, el trabajador medio reduce sus ingresos entre el 10 y el 40% a partir del día de su jubilación. Después, con el paso de los años, la pensión tiende a un menor valor adquisitivo, a pesar de los ajustes que puedan hacerse, por el efecto de la inflación.

En los países sin seguridad social, solo un número muy limitado de empleados cuenta con un plan de pensión. En estos casos, el sustento queda en manos del interesado, de su familia, o de alguna organización caritativa.

El problema común es que en ambos casos, al llegar el momento del retiro, el ritmo de vida no puede continuar al mismo nivel que antes de la jubilación. Tiene que haber algunos cambios en el estilo de vida que se traducen en cierta reducción proporcional de los gastos. El cuadro *"Planifica tu economía para la jubilación"*, en la página 159, ofrece algunas ideas útiles para la prevención de un choque a la hora de vivir con menos ingresos debido a la jubilación.

Asumir cierta disminución paulatina de las facultades

Por último, no hay que olvidarse de asumir cierta disminución paulatina de las facultades y hacer las variaciones oportunas. El famoso compositor y pianista Arthur Rubinstein (1887-1982) se preparó para la realidad de su envejecimiento profesional de tres modos:

1. Redujo las interpretaciones públicas a un número y selección razonables.

2. Ensayaba las piezas más concienzudamente y con más frecuencia.

3. Interpretaba las piezas siguiendo una técnica de retención del ritmo antes de los movimientos rápidos para poner de relieve –por contraste– la velocidad del movimiento.

Haciendo esto, Rubinstein mantuvo la calidad suprema de sus interpretaciones hasta una edad muy avanzada.

La pareja necesita acotar las destrezas y actividades que deben continuarse, y la medida y la forma en que han de hacerse. El apoyo y el ánimo mutuos resultarán de ayuda incalculable para mantener el mejor nivel de rendimiento posible aun en la edad más avanzada.

Para vivir más... Sé prudente, ordenado y desarrolla el dominio propio

En 1921 Louis Terman dio comienzo a un famoso estudio longitudinal cuyos participantes eran niños superdotados. Con el fin de hacer un seguimiento de sus logros, localizó 1.500 niños de 11 años poseedores de un alto cociente intelectual. Estos niños fueron sometidos a diversas pruebas físicas y psicológicas a lo largo de toda su vida. En los años noventa se estudiaron los datos que relacionan **la longevidad con ciertos rasgos de la personalidad**. Muchos de los participantes ya habían fallecido, pero las diferencias en edad de fallecimiento y su correlación con ciertos rasgos de la personalidad han arrojado conclusiones interesantes.

Atributos tales como **la prudencia, el orden y el dominio propio** parecen claros determinantes de la longevidad. Aunque las razones que explican esta relación no están claras, podemos decir que quienes cuentan con las cualidades mencionadas saben cómo prevenir el estrés, tan peligroso para el inicio de enfermedades psicosomáticas. Además, las personas metódicas y con dominio propio parecen las más capacitadas para adoptar y mantener un estilo de vida saludable y libre de riesgos, lo cual promueve la salud física y mental y prolonga la vida.

Otro de los datos de interés de esta serie de estudios es la **relación entre la estabilidad conyugal a los 40 años y la longevidad**. Muchos de los participantes que a sus 40 años gozaban de un matrimonio **feliz** aún hoy están vivos. Mientras que la mayoría de quienes no contaban con dicha felicidad ya han fallecido.

El trato con los hijos

Al llegar al final de su etapa profesional, los jubilados deberían recordar los anhelos y deseos que ellos mismos tuvieron respecto a sus padres y suegros, treinta o cuarenta años antes. Esto evitaría muchos de los conflictos que típicamente se observan entre padres e hijos.

Los hijos de personas que comienzan la jubilación suelen tener entre 35 y 40 años, posiblemente con hijos en edad escolar, y bien situados en su profesión. Los apuros económicos de la primera etapa matrimonial han quedado atrás. También se han resuelto ya muchos de los problemas de adaptación al ma-

trimonio y las posibles fricciones con las familias políticas se han suavizado.

Se trata, pues, de una etapa más sencilla de lo que fuera hace unos años. Sin embargo, requiere cierto nivel de cautela por ambas partes. Por ello ofrecemos a continuación algunas sugerencias para que las personas mayores tengan el mejor trato posible con sus hijos:

- **Alcanzad posturas unificadas**. Como pareja, hay que dialogar sobre cómo habéis de relacionaros con los hijos y alcanzar acuerdos. Frases como "A mí me gustaría venir a veros más frecuentemente, pero tu padre

no quiere" denotan fallos en la relación. Los componentes de la pareja deben exponer sus deseos y sentimientos mutuamente; y luego negociar y transigir hasta donde sea posible para que, no habiendo perdedor, ambas partes queden satisfechas.

- **Mantened una relación que no agobie a los hijos**. Aun con buenas intenciones, los padres pueden llegar a atosigar a los hijos con excesivas visitas o largas llamadas telefónicas. Pensad que esta es la edad en que los hijos, por su propia cuenta, retornan a los padres y están abiertos a consejos y sugerencias mucho más que en los años jóvenes. Pero han de ser ellos quienes vengan a vosotros a pedir consejo.

- **Esforzaos en tratarlos como adultos**. Para algunos padres y madres es difícil tratar a sus hijos como adultos. No es raro escuchar a una madre decir a su hijo de cuarenta años: «¿No te lavas las manos antes de comer?»

- **Si podéis, ofreced ayuda práctica, pero no insistáis**. Quizá ya haya pasado la época cuando los hijos necesitaban pedir dinero prestado o regalado. Sus necesidades pueden estar relacionados con los gastos escolares de los hijos o con la realización de una obra en la casa. Si os es posible, ofreced vuestra ayuda, pero no insistáis.

- **Aceptad a vuestros hijos por sus logros positivos**. No es hora de pensar en lo que tu hijo o hija pudo haber sido si hubiera optado por otra carrera... Las aspiraciones paternas tienen su valor en su día, pero ahora es momento de **aceptar y admirar** los logros personales, familiares y profesionales de los hijos. Es tiempo de aceptación y de reconciliación.

La sabiduría de los abuelos

Hay países y culturas en los que el papel de los abuelos en el cuidado de los nietos es mínimo. La tradicional abuela, que cuidaba de los nietos mientras su hija acudía a trabajar, va desapareciendo poco a poco. Sin embargo, en muchos otros contextos, los abuelos (por vivir en las proximidades y tener más tiempo libre que los padres) desempeñan un papel primordial en la crianza de los nietos.

Las actividades más comunes de los abuelos con los nietos abarcan jugar con ellos, contarles historias, llevarles de paseo, charlar y gastarles bromas, prepararles comida, darles algo de dinero, ver la televisión con ellos... La compañía continua de los abuelos con sus nietos los identifica como **transmisores de valores** de primera importancia. Por esta razón, los abuelos deben pensar que cuentan con la responsabilidad de formar, en parte, el carácter de los nietos.

Las posturas clásicas del desarrollo intelectual explicaban que la **inteligencia** decrecía con la edad. Hoy se entiende que únicamente los conocimientos simbólicos y de velocidad de reacción decrecen. De hecho se está demostrando que a la edad de jubilación, se tiene más **sabiduría** (concepto más abarcante que la inteligencia) que en la juventud. Esta cualidad se refiere a la **capacidad para resolver problemas de la vida real** de modo eficaz y equilibrado. Es la madurez que viene con los años. Por esta razón no debe desecharse el consejo de los abuelos y bisabuelos.

Además del papel transmisor y educador que los abuelos ejercen sobre los nietos, están los beneficios que obtienen de esa función:

- En primer lugar, *muchos abuelos se sienten transformados en su interacción con los nietos*; en palabras que escuchamos de una abuela que había enviudado recientemente: «La nieta es mi terapia».
- En segundo lugar, para el abuelo, el advenimiento de nietos y biznietos supone *la supervivencia de su progenie*, y esto le sirve de *ayuda para afrontar mejor su propia muerte*.
- Finalmente, cuando los abuelos asisten en la crianza de los nietos y se relacionan prolongadamente con ellos, *transmiten su propia experiencia infantil,* con lo cual están aceptando su pasado de manera resuelta, y, de nuevo, esto les ayuda a contemplar sus últimos días con serenidad.

La sexualidad

La capacidad de gozar de la sexualidad en pareja, continúa durante la etapa de la jubilación hasta edades bien avanzadas. El factor más importante para una sexualidad plena es precisamente la **práctica continuada**. Cuando una pareja en la tercera edad interrumpe las relaciones sexuales durante un tiempo prolongado, es difícil reanudarlas. En cambio, las parejas que practican el sexo de manera habitual pueden consumar el coito hasta más allá de los 80 años.

La **frecuencia de la actividad sexual** disminuye con la edad. Según varios informes, tres de cada cuatro parejas mayores de 74 años dicen hacer el amor al menos una vez al mes; y una de cada cuatro parejas de la misma edad, una vez a la semana (Fisher, L., 1999). Aun cuando la actividad sexual de las personas mayores se vea reducida en frecuencia, los encuentros pueden ser tan gratificantes como en los años pasados.

Conviene tener en cuenta una serie de datos para facilitar la actividad sexual de los miembros de la tercera edad. El cuadro *"¿Qué hacer para mejorar la sexualidad?"*, en la página siguiente, está dedicado a ellos.

sexualidad

¿QUÉ HACER PARA MEJORAR LA SEXUALIDAD?

En este cuadro se enumeran algunos de los resultados de diversas investigaciones en cuanto a los cambios en la sexualidad a la edad madura (Bremner, W. J.; Vitiello, M. V. & Prinz, P. N., 1983; 'National Institute on Aging' [NIA], 1980). Estas variaciones no tienen por qué anunciar el cese de la actividad sexual, sino llevarla a cabo dentro de los límites que impone la fisiología y con la actitud correcta. En tanto que ambos obtengan beneficios fisiológicos o emocionales de la práctica sexual, esta debería continuarse.

Variaciones	Qué hacer
• El hombre tarda más que antes en alcanzar la erección.	• Extender el periodo previo al coito o eyaculación, aprendiendo a gozar aún más de la intimidad y del acercamiento mutuos.
• El hombre tarda más que antes en eyacular.	• Utilizar las caricias y la estimulación manual del pene en mayor medida de lo que se hizo en el pasado.
• La mujer despliega los signos de excitación (aumento de tamaño de los pechos o clítoris) con menor intensidad.	• Aceptar esto como una realidad que no debe ser obstáculo para el goce sexual de ambos.
• La mujer no segrega suficiente flujo vaginal y las paredes vaginales pierden parte de la flexibilidad.	• Usar cremas lubrificantes.
• Una actitud pesimista de la vida entorpece el logro de la satisfacción.	• Considerar la sexualidad en la tercera edad como algo positivo, bello y gratificante, a pesar de lo que algunos puedan pensar.

Enriquece la autoestima de tu cónyuge

des de forma abierta y en tono emocional afable. Comunica cosas concretas:

- ✓ lo delicioso de esa comida,
- ✓ el trabajo casero bien hecho,
- ✓ lo bien que sabe entretener a los nietos,
- ✓ su forma dulce de hablar.

• **No bromees o ridiculices a tu cónyuge**. Al hacer esto, especialmente en presencia de otras personas, puedes herir su autoestima. La persona sensible no tomará nunca las cosas en broma, más bien nutrirán su inseguridad.

• **Cuida de tu propia autoestima**. Con demasiada frecuencia un buen concepto de sí mismo es condición necesaria para nutrir la autoestima del otro. Por esta razón muchos psicólogos trabajan en la edificación del autoconcepto de uno de los cónyuges para que este pueda más adelante ayudar a su compañero/a.

- **Observa y estudia a tu cónyuge**. Después de tantos años de convivencia, hay cosas que no se perciben por resultar comunes. Observa sus tareas, la manera de dirigirse a otros, la forma de sonreír, las soluciones que da a los problemas, el sentido del humor y, en definitiva, todo lo que constituye la riqueza vital del otro.

- **Toma nota de los aspectos de más valor**. Después de una observación cariñosa, anota mentalmente las cosas que más aprecias de él o de ella.

- **Expresa verbalmente esos aspectos que te agradan**. Habla a tu cónyuge de sus virtu-

Seguridad y prevención de accidentes

El proceso de envejecimiento hace arriesgadas ciertas actividades y rutinas que, años atrás, no suponían peligro alguno. Esto no significa que la vida en la tercera edad tenga que estar vacía de actividades y de experiencias interesantes.

Simplemente, es necesario tener en cuenta que con el avance de los años sobrevienen ciertas **limitaciones de naturaleza psicomotriz**, que pueden ocasionar accidentes:

- **La velocidad de reacción frente a los estímulos disminuye.**

- **La vista y el oído pierden precisión.**

- **La fuerza muscular decrece.**

- **La movilidad se hace más lenta.**

El riesgo de accidentes aumenta precisamente por la naturaleza gradual de estos cambios. Una caída puede ocurrir en circunstancias idénticas a las de hace dos meses. En la primera ocasión no hubo dificultad; en la segunda, se produjo el accidente. En el cuadro de las dos páginas siguientes ofrecemos consejos útiles para la prevención de accidentes en el hogar.

CÓMO PREVENIR LOS ACCIDENTES EN EL HOGAR

La cocina, el baño y el dormitorio son los lugares donde ocurren la mayoría de los accidentes caseros en la tercera edad. Las caídas son las eventualidades más comunes, seguidas de las quemaduras. Muchos de los consejos que se ofrecen son simples y pueden evitar muchas desgracias.

- Utiliza un contador de minutos **sonoro** para recordarte lo que está en el fuego.
- Si utilizas gas, asegúrate que las instalaciones y **revisiones** las haga el personal especializado.
- Al salir de la cocina, echa siempre una **última ojeada** para asegurarte que todo está apagado y desconectado.

En el baño...
- Coloca una **alfombra de goma** con ventosas dentro del baño o ducha, u otro medio técnico que evite resbalones.
- Encarga la instalación en la ducha o baño de uno o dos **pasamanos de seguridad** fijos a la pared para agarrarse a ellos. También hay sistemas que te permiten ducharte **sentado**.

En la cocina...
- Mantén **al alcance** los utensilios y cacharros de uso frecuente.
- Cuando necesites alcanzar algún objeto alto, usa un taburete firme y con escalón, si no dispones de una **escalera** segura.
- Si se derrama algún líquido en el suelo, **límpialo** inmediatamente. Es muy fácil olvidarse y resbalar.
- Usa zapatillas de **suela de goma** para evitar resbalones.
- Usa **manga corta** o puños bien ceñidos para prevenir que el fuego pueda pasar a la ropa.
- Acostúmbrate a cocinar a **fuego lento**. Es más sano y reduce el riesgo de incendio.
- Mantén **alejados** del fuego los paños de cocina, las cortinas y otros tejidos inflamables.
- Pon los mangos de cazos y sartenes **hacia dentro** para prevenir que caigan con un tropiezo.
- Mantén las superficies de trabajo **libres** de objetos y alimentos. Siempre debe haber espacio para dejar un cazo hirviendo.

- Los cables de lámparas, teléfonos, etcétera, deben correr **por la pared** y nunca en medio de la habitación o por debajo de la alfombra.
- Mantén las fuentes de calor (calefactor, radiador) **alejadas** de cortinas, colchas, etcétera, para evitar incendios.
- Nunca fumes en la cama. Muchas muertes ocurren por incendios ocasionados en esa circunstancia. En todo caso, lo mejor es que **no fumes** nunca, tu salud te lo agradecerá.
- Evita el uso de mantas y almohadillas eléctricas. Y si las usas, **desconéctalas** antes de dormir.
- Mantén un **teléfono cerca de la cama**. Muchas llamadas de emergencia se hacen desde el dormitorio y una precaución de este tipo puede salvarte la vida.

- **Evita alfombras movibles** que puedan hacerte resbalar. Si quieres instalar moqueta, hazlo de pared a pared y con sistema fijo.
- **No eches el cerrojo del cuarto de baño**. En algún momento puedes necesitar ayuda urgente.
- Cuando te des un baño, cuídate de que el agua **no** esté **demasiado caliente**. Deja correr primero la fría y luego la caliente hasta alcanzar la temperatura deseada.
- En la ducha **mezcla** el agua cuidadosamente y, en cualquier caso, no pongas el calentador a temperatura muy alta.
- Si observas que algún enchufe echa chispas o está suelto, **repáralo** inmediatamente. El baño es una zona de alto riesgo de electrocución.

En el dormitorio...

- Ten una pequeña lámpara de noche o el interruptor de la luz **al alcance de la mano**. Levantarse a oscuras entraña riesgos innecesarios.
- La cama debe tener la **altura ideal**. Al sentarse con las piernas hacia afuera, las plantas de los pies deben tocar el suelo. Las camas muy altas o demasiado bajas encierran peligros.
- Hay personas mayores que al levantarse de la cama experimentan sensación de mareo. Esto puede evitarse permaneciendo **sentado** en la cama durante **unos momentos**, levantándose después cuidadosamente.

Envejecimiento y salud

El paso de los años trae consigo cierto nivel de deterioro del organismo. Aunque hay personas que mantienen sus facultades casi intactas hasta edades muy avanzadas, ciertas pérdidas de facultades son normales para los miembros de la tercera edad.

- La disminución de las **facultades visuales** es uno de los procesos naturales de envejecimiento. Parte de los problemas visuales pueden corregirse con el uso de gafas, lentes de contacto u operaciones oftalmológicas. Otros, como las **cataratas** (que afectan a la mitad de la población de jubilados) requieren cirugía. En cualquier caso, se trata de un problema que interfiere en tareas tan habituales como leer, coser, hacer la comida o ir de compras. Los mayores, aun con el uso de lentes de corrección, deben ejercer el máximo cuidado para no ponerse en riesgo de accidente. Por ejemplo, evitar actividades nocturnas o la conducción del automóvil son medidas acertadas.

- La pérdida de **agudeza auditiva** va también ligada a la edad. Se estima que el 50% de las personas mayores de 60 años experimentan problemas de audición. Y de ellos, más de la mitad tienen un grado de pérdida auditiva que dificulta de manera significativa la vida normal. Los hombres sufren mayor degeneración auditiva que las mujeres. Haz la prueba que aparece en el cuadro de la página siguiente "*¿Oyes bien?*", y sabrás si debes ir al especialista.

- El **sentido del olfato** también experimenta pérdidas, al igual que el del **gusto**, por depender de aquel. Las mujeres conservan ambos con más facilidad que los hombres. Uno de los problemas derivados de la disminución del gusto es la falta de sabor en las comidas. Una precaución: como la pérdida sobreviene especialmente en lo salado, lo amargo y lo agrio, pero no en lo dulce, ten cuidado en no caer en el abuso de los productos azucarados o demasiado salados.

- **Fuerza, resistencia, equilibrio y rapidez** son reacciones que se debilitan con el paso de los años. A pesar de todo, la mayoría de los trabajos que se hacen a edades más tempranas pueden hacerse más despacio en esta etapa de la vida.

Conocimos a un constructor que a los 75 años se edificó una casa completamente solo. Su explicación fue: «Esta casa la habría terminado en 6 u 8 meses en mis años jóvenes, ahora he tardado dos años. La calidad es la misma, solo que ahora hago las cosas más despacio.»

La nueva línea de investigación geriátrica (Ades, P. A.; Ballor, D. L.; Ashikaga, T., Utton, J. L. y Nair, K. S., 1996. Fiatarone, M. A.; Marks, E. C.; Ryan, N. D.; Meredith, C. N.; Lipsitz, L. A. y Evans, W. J., 1990. Fiatarone, M. A.; O'Neill, E. F. y Ryan, N. D., 1994. McCartney, N.; Hicks, A. L.; Martin, J. y Webber, C. E., 1996), está demostrando que la pérdida locomotriz debida a la edad, puede recuperarse con ejercicios ade-

¿OYES BIEN?

1. Cuando subes el volumen de la radio o la televisión, ¿se quejan los otros miembros de tu familia?

   ○ Sí   ○ No

2. ¿Te preguntas con frecuencia por qué la gente no habla más alto y más claro?

   ○ Sí   ○ No

3. ¿Te ocurre que muchas veces tienes que preguntar qué han dicho porque no has entendido bien?

   ○ Sí   ○ No

4. Cuando acudes a un lugar público con muchas personas y ruidos, ¿tienes serios problemas para entender lo que dicen?

   ○ Sí   ○ No

5. ¿Es cierto que a veces cuando suena el timbre o el teléfono no lo oyes?

   ○ Sí   ○ No

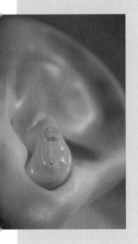

Si has contestado "Sí" a una o más preguntas, acude a tu médico o especialista para hacer una prueba audiométrica. Es posible que el facultativo recomiende la compra de un audífono. La pérdida de oído no tiene cura, pero el audífono, que se aplica directamente al oído, amplifica ciertos tonos altos o bajos, según tu deficiencia, y te ayuda a oír mejor.

cuados. Con participantes entre los 60 y los 90 años de edad se ha verificado que en programas de entrenamiento motor de 2 a 24 meses de duración, se alcanzan incrementos importantes en la fuerza, el tamaño y la movilidad musculares. Son datos esperanzadores para asegurar que nuestros años de existencia también pueden serlo de vitalidad y bienestar.

• En cuanto a la **salud pública general de las personas** mayores existe hoy una tensión de fuerzas contrarias. Por una parte, la higiene personal, el suministro de agua y desagüe, el uso de vacunas y antibióticos, y la difusión de algunos principios elementales de salud han evitado muchas enfermedades y muertes prematuras. Además, en los países desarrollados existe una larga lista de servicios públicos y aparatos para el confort de las personas de edad avanzada.

Sin embargo, encontramos también una serie de enfermedades estrictamente ligadas al estilo de vida. Diversos tipos de cáncer, enfermedades coronarias, ataque cerebral e hipertensión constituyen una pequeña muestra de las muchas complicaciones que hoy sufrimos por el sedentarismo, el uso del tabaco y del alcohol, una dieta errónea y un ambiente contaminado.

Dos elementos básicos en la salud

Hay dos hábitos en el estilo de vida de las personas mayores que tienen mucho que ver con la salud: el ejercicio físico y la alimentación.

El ejercicio físico

El ejercicio físico, en sus muchas alternativas para las edades y gustos diversos, es un factor **preventivo de muchas enfermedades** que sobrevienen en la tercera edad. El ejercicio físico regular y moderado no es peligroso aun en edades avanzadas, proporcionando un bienestar generalizado en quienes lo practican. Fortalece el corazón y los pulmones, previene la hipertensión, la osteoporosis, la diabetes y la enfermedad coronaria. Mantiene flexibles los músculos y las articulaciones, aliviando los dolores lumbares y artríticos (véase el cuadro de la página 177 con la interesantísima experiencia de la centenaria Hulda Crooks).

La actividad física también aporta **bienestar mental**. Tareas que dependen de la memoria y el razonamiento mejoran cuando el ejercicio físico está presente, así como la capacidad para concentrarse y mantenerse alerta. También previene la ansiedad y la depresión, proporcionando alegría y buen humor. Por último, el bienestar conseguido por medio del ejercicio evita muchos accidentes.

El ejercicio físico no tiene por qué ser complicado o asociado a deportes costosos. Un *paseo diario de una hora resulta suficiente* para recibir los beneficios de la actividad física. Mantener una vida activa en la etapa de la jubilación es uno de los secretos del bienestar y la longevidad. He aquí algunos consejos que pueden ser buenos soportes de la vida activa:

- Ocuparse en *proyectos caseros*, trabajar en el jardín o la huerta.

- Aceptar **responsabilidades** que te obliguen a *trajinar* y a *caminar*.

- Utilizar las *escaleras* en lugar del ascensor, pero agarrándose bien al pasamanos.

- Usar *ropas cómodas y zapatos deportivos* con suela de goma para caminar cómodamente y sin peligro de caída.

- Ajustarse al *horario solar*. Mantenerse activo con la luz del día y dormir de noche. Tus habilidades rendirán al máximo al marchar paralelas al día natural.

- Buscar diariamente momentos de serenidad para *meditar, orar, o escuchar música relajante*. El comienzo del día o el anochecer pueden ser momentos ideales para estas actividades.

Una alimentación equilibrada

Una alimentación equilibrada es de suma importancia para la salud de las personas mayores. Por desgracia los cambios en la tercera edad hacen abandonar a muchos los buenos hábitos de una dieta variada y agradable. Ya sea por la disminución del olfato-gusto, por la pérdida dentaria, o por vivir solo/a y sin motivación para cocinar, muchos mayores acaban nutriéndose mal.

Hoy se sabe que la alimentación guarda una estrecha relación con la salud y con el proceso de envejecimiento. Por ejemplo, es común encontrar personas mayores que sufren desnutrición por la carencia de **vitaminas** (especialmente la vitamina E) y **minerales** (como el zinc, el magnesio y el calcio).

También existen enfermedades derivadas directamente de la ingesta excesiva de grasas, muy común en nuestros días.

La nutrición desempeña un papel importante en la prevención de enfermedades tales como la arteriosclerosis, los trastornos cardíacos y la diabetes.

Ciertas carencias vitamínicas se han visto asociadas a la pérdida de facultades mentales. Por ejemplo, un estudio reciente ha demostrado que la ingesta de **vitamina B$_6$** mejora la función memorística.

También parece evidente que la carencia de **vitamina D** facilita la rotura de cadera en los ancianos. Además, el uso habitual de frutas y verduras frescas, especialmente cítricos y hortalizas de hoja verde, disminuye el riesgo de ataque cerebral.

La unidad *"Guía de nutrición para la tercera edad"*, en la página 176, contiene consejos alimentarios de interés para los lectores de edad avanzada.

Cómo mantener sanos los huesos

Las medidas siguientes contribuyen al fortalecimiento del sistema óseo general y **previenen** la osteoporosis:

- **Mantén una dieta rica en calcio**. Consume regularmente productos ricos en calcio: lácteos descremados (leche, yogur, queso fresco...), hortalizas de hoja verde (acelgas, espinacas...), semillas de sésamo y cereales integrales en abundancia.

  Pero, ¡cuidado!, hay alimentos que contribuyen a la pérdida de calcio; con su uso, cualquier acopio de calcio servirá de poco o nada. Estos alimentos son: la proteína de origen animal (todo tipo de carne), el café, la sal y el fósforo (especialmente presente en las bebidas gaseosas). Abstente de estos productos o tómalos en muy pequeña cantidad.

- **Asegúrate de contar con vitamina D**. La yema de huevo, el pescado y el aceite de hígado de bacalao contienen esta vitamina. Sin embargo, aun no ingiriendo esos alimentos, puedes contar con suficiente vitamina D saliendo al aire libre y recibiendo una cantidad moderada de rayos solares directamente sobre la piel (10-15 minutos al día son suficientes). El organismo humano transforma el colesterol en vitamina D a nivel de la piel.

- **Lleva a cabo ejercicio físico moderado y regular**. Camina todos los días. Es el mejor ejercicio para las personas mayores. Al andar no solo estás fortaleciendo el esqueleto y los músculos, sino también la coordinación motriz, necesaria para prevenir cualquier accidente.

- **No fumes**. Entre los muchos efectos adversos del tabaco, uno de ellos es contribuir a una mayor pérdida de la densidad ósea.

En todo caso, hay que **prevenir las posibles caídas:**

- ✓ Mantén el suelo libre de alfombras resbaladizas, cables, o suciedad que podrían hacerte resbalar.
- ✓ Sube y baja las escaleras con luz abundante y agarrado al pasamanos.
- ✓ Utiliza calzado cómodo y con suela de goma.
- ✓ Coloca los objetos que usas con frecuencia al alcance de la mano.
- ✓ Utiliza pasamanos fijos de seguridad en el baño o ducha.

La osteoporosis

Otro problema relativamente común es la osteoporosis. Afecta a muchos millones de hombres y mujeres mayores en todo el mundo.

¿Qué es la osteoporosis? El esqueleto humano, lejos de ser materia inerte, es un tejido vivo que reacciona positivamente cuando se lo estimula con ejercicio físico o nutrientes adecuados. De hecho, todos los huesos del cuerpo humano están en constante regeneración, eliminando células óseas y reemplazándolas con otras nuevas. En el adulto sano, el esqueleto se renueva completamente cada ocho o diez años.

Como parte de la evolución física normal, a la edad aproximada de 35 años, el ritmo de pérdida de tejido óseo se incrementa (Merrill, S. S. y Verbrugge E, L. M., 1999).

Es un proceso enteramente normal, pero supone una más fuerte demanda del organismo para restablecer la pérdida.

En la mayoría de los casos, esto no conlleva efectos secundarios. Pero en ciertas personas, la restauración ósea es insuficiente frente al ritmo de pérdida. Como consecuencia, sobreviene la osteoporosis, que debilita el sistema óseo general y hace que los huesos sean, débiles y vulnerables a la fractura.

Guía de nutrición para la tercera edad

1. **Tomar frutas o verduras frescas en todas las comidas**. Si esto no es siempre posible, usar conservas o congelados. La cantidad ideal es de cinco raciones al día.

2. **Comer legumbres o frutos secos en pequeña cantidad todos los días**. Estos alimentos contienen proteínas, que ayudan a reparar y restablecer el organismo.

3. **Comer pocas grasas y poco azúcar**. Los alimentos llenos de grasa o de azúcar son sabrosos, pero con demasiadas calorías y sin nutrientes.

4. **Tratar de incluir en todas las comidas pan moreno, patatas, arroz integral, pasta de harina integral o cereales integrales**. Constituyen la fuente de energía que prefiere nuestro organismo. Si sufres estreñimiento puede ser por falta de fibra que te aportarán los productos integrales.

5. **Incluir alimentos ricos en calcio** (leche, yogur, queso fresco y hortalizas de hoja verde) en la dieta diaria.

6. **Beber líquidos todos los días, entre uno y dos litros fuera de las comidas**. El agua es la mejor bebida, aunque también pueden utilizarse zumo (jugo) de fruta, leche descremada o tisanas.

7. **Ser regular en los horarios** de comidas.

8. **Vigilar el peso** y consultar al médico si ganas o pierdes sin desearlo.

9. **Asegurarse de que tu dieta contiene suficiente hierro**. Comer espinacas, repollo, lentejas, alubias y huevos con moderación.

10. **La vitamina D no puede faltar**. Los huevos y los productos lácteos contienen esta vitamina. La luz solar directamente sobre la piel estimula la producción de vitamina D.

11. **Comer con moderación** para no sobrecargar los órganos digestivos.

12. Aunque los uses de vez en cuando, **evita los productos calóricos de escaso valor nutritivo**, como los **pasteles**, las **galletas** y los **dulces**.

13. **Hacer de las comidas una ocasión placentera**. Disfruta de la compañía de tu pareja a la hora de comer y considera el momento como algo especial. Si vives solo/a, reúnete de vez en cuando para comer con alguna amistad.

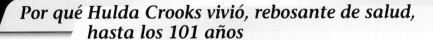

Por qué Hulda Crooks vivió, rebosante de salud, hasta los 101 años

Hulda Crooks nació en una zona agrícola de Saskatchewan (Canadá) en 1896. Su infancia transcurrió ayudando en las tareas de la familia y yendo al colegio cuando las labores del campo se lo permitían. Al alcanzar la mayoría de edad, marchó de casa para cursar la educación secundaria, y finalmente, con grandes esfuerzos económicos, estudios universitarios en nutrición. Se casó a los 31 años con Sam Crooks, un compañero de carrera. Del matrimonio nació un hijo varón.

Hulda desempeñó su profesión como ayudante de investigación dietética en la Universidad de Loma Linda, en California.

Desde su juventud, Hulda sufrió **anemia, nerviosismo** y un **cansancio** casi permanente.

Animada por su marido, comenzó a ejercitar los músculos ascendiendo colinas, cerros y montañas *a la edad de 54 años*. El bienestar obtenido la animó a continuar hasta que, a los 66 años, ya viuda, escaló el monte Whitney (4.418 m) por primera vez... y no sería la última.

Hulda Crooks, durante los siguientes 25 años, lo escalaría anualmente hasta que alcanzó los 91 años, siendo la persona de más edad capaz de alcanzar la cima del Whitney.

Ese mismo año, fue invitada a Japón para escalar el monte Fujiyama (3.776 m). Al coronarlo, llegó también a ser la persona con más edad que jamás haya hecho esta escalada. Los japoneses, con un alto sentido del respeto por la vejez, la homenajearon sobremanera con grandes celebraciones en honor de la que cariñosamente llamaron "abuela Fuji".

Aparte de estos dos famosos picos, Hulda ascendió otras muchas montañas, siendo su etapa más activa *entre los 81 y los 91 años*. A partir de los 91, continuó el ejercicio físico regular, pero ya no en la escalada de cumbres elevadas. Vivió completamente sana hasta su sereno fallecimiento en 1997, a la edad de 101 años.

¿Cuál fue el secreto de su vitalidad y longevidad?

• Su matrimonio fue una gran fuente de **apoyo emocional**, siendo la influencia de su marido muy beneficiosa.

• Cuando contaba con 54 años, decidió firmemente **no dejarse vencer** por los sentimientos depresivos que la acosaban.

• También decidió hacer **ejercicio** por medio del montañismo regular.

• Hulda, después de su jubilación, puso un cuidado especial en la **dieta**, tomando solo frutas, cereales, legumbres, verduras, un poco de leche y uno o dos huevos a la semana.

• **Se abstuvo** completamente del té, del café y de cualquier refresco con cafeína.

• Hacía **dos comidas al día**.

• Se levantaba **muy temprano** y se acostaba **muy pronto**.

• Además, Hulda decidió aceptar a Jesucristo como su Salvador y seguir sus enseñanzas, en cuya práctica encontró una **fuente de paz** consigo misma y una extraordinaria relación con los demás hasta el mismo momento de su muerte, a la cual pasó con la firme esperanza de la resurrección en el día final.

Fuente: *Grandma Whitney*, de William C. Andress

Fotos de Hulda Crooks, cedidas por cortesía de William C. Andress

La pérdida del cónyuge

La muerte del compañero/a de alegrías y sinsabores durante décadas, es uno de los acontecimientos más traumáticos que suceden en la vida de la persona. La falta del ser amado puede producir mucho dolor, tristeza y angustia durante meses y, a veces, años. Encima, el suceso suele ocurrir cuando los hijos viven independientes y los hermanos y hermanas son ya muy mayores, con lo que el proceso se complica. A pesar de todo, hay modos de preparar y afrontar esta difícil etapa. Los párrafos siguientes están dedicados a **cómo prepararse** para este momento, entender el proceso y ser capaz de resolverlo con éxito.

En primer lugar, todo el mundo necesita **conocer el proceso de aflicción** que sigue quien pierde al ser querido. A pesar de ser un trago doloroso, se trata de un paso universal al que casi todo el mundo se ve sometido. El cuadro de la página siguiente presenta las fases típicas que suelen seguir quienes quedan viudos/as.

Otra área de preparación es la **confianza en uno mismo**. Hay personas que creen que si su esposo/a muriera, no serían capaces de restablecerse de la aflicción. Es cierto que hay riesgos como la depresión. Sin embargo, el riesgo es mínimo y aunque se dé, tiene solución. Los estudios en este área muestran que las personas maduras cuentan con más recursos que los jóvenes para afrontar la pérdida de seres queridos (Digiulio, J. F., 1992). Y esta ya es una razón para ganar seguridad propia.

Para mejorar la confianza en uno mismo, es muy útil trabajar en conjunto. **Edificar mutuamente la autoestima** es uno de los aspectos fuertes de la relación conyugal. Cuando ambos cónyuges cuentan con una autoestima sana, los dos estarán preparados para sobrevivir por sí solos al momento del desenlace.

Finalmente, están los **aspectos de componente práctico** como son la administración de las finanzas, las tareas domésticas, o las relaciones con los familiares. En los matrimonios tradicionales el hombre se encarga de las transacciones bancarias y otros trámites burocráticos; también se ocupa de las tareas de bricolaje, reserva de viajes, etcétera. Por su parte la mujer tiende a ser la experta en asuntos culinarios, incluyendo compra y preparación, aparte de los asuntos de limpieza, decoración del hogar y relación con la familia.

Es recomendable que cada uno se inicie en las tareas del otro. La ignorancia total en asuntos prácticos es muy peligrosa. Que el hombre ayude a su esposa en las tareas domésticas o que la mujer se inicie en asuntos burocráticos no solo es un pequeño reto que los mantendrá activos y en uso de sus facultades, sino también un modo de comunicar sentimiento de apoyo y cariño mutuos que por añadidura les proporciona las destrezas necesarias en caso de que uno de ellos falte.

Una de las primeras experiencias que la viuda (o viudo) tiene que **encarar** es **la soledad** simple y llana. La ausencia de compañía puede resultar impresionante. La persona viuda ha de comer sola, dormir sola, ver la tele sola. Al recordar anécdotas o acontecimientos familiares del pasado, ya no puede compartirlas.

Todo esto proporciona un sentir de vaciedad, de ausencia de valor personal, de debilidad generalizada, de cambios en el estado de ánimo. Sin embargo, es necesario saber que dichas irregularidades tienden a ser cada vez más escasas y, en última instancia, desaparecer. De hecho, los **recuerdos del cónyuge** que son, al principio, obsesivos, **se tornan pronto en algo agradable que sirve como fuente de alivio**.

A todo esto hay que añadir aspectos de componente práctico, como la reducción de in-

EL CONSEJO DEL PSICÓLOGO

La dolorosa pérdida del cónyuge: etapas hasta superarlo

Por medio del seguimiento de quienes pierden al cónyuge en la tercera edad se han establecido unas pautas por las que pasan estas personas. El conocimiento de las etapas correspondientes ayudará al lector a prepararse para el momento del desenlace y a saber llevarlo a cabo con éxito, si este ya se ha producido. Es esperanzador saber que *la mayoría de las personas superan la etapa de resolución en menos de un año* después de la muerte del ser querido.

1. **Etapa de choque**. Es el momento de dolor más intenso tras la pérdida del ser querido. El afligido pasa por un estado de **fuerte impresión**, de *shock*, que puede manifestarse en pasmo o en llanto desesperado. Durante esta etapa muchos optan por la **negación**: "No es posible que haya muerto..." También es frecuente el **pensamiento ilógico** ("Haría lo que fuera para que volviese..."), **desesperado** ("Quisiera morirme yo también"), o **ansioso** ("No podré sobrevivir sin él/ella "). La etapa *se prolonga varias semanas* durante las cuales la persona experimenta momentos de confusión, vacío, tristeza, o ataques de llanto. Estos síntomas son completamente normales e irán espaciándose y debilitándose día a día.

2. **Etapa de transición**. Se caracteriza por los recuerdos del ser querido, que tienden a ocupar mucho tiempo en la mente del afligido. Durante este periodo, la persona puede sentirse arrebatada por una fuerte sensación de que su esposo/a está presente. Por primera vez se contempla la esperanza de supervivencia y éxito sin el ser querido, y comienzan a hacerse planes para una restauración de la vida habitual. La etapa de transición se prolonga durante unos *seis meses*.

3. **Etapa de resolución**. Durante esta etapa se van haciendo paulatinamente las adaptaciones y cambios necesarios para la vida normal, ya sin el vínculo o dependencia del ser amado. Es el momento en que la viuda o viudo se demuestra a sí mismo y a los demás que la crisis está salvada. Como es de esperar, la memoria del difunto continúa presente, a veces con motivos agradables, otras con recuerdos tristes, pero estas evocaciones están ya libres de dolor o angustia.

gresos, o el aumento de trabajo, por no poder compartir más las diversas tareas. Es, pues, de suma importancia tomar algunas **medidas** simples como las que se ofrecen a continuación:

- Haz **ejercicio físico moderado** para favorecer las funciones orgánicas y regular el mecanismo del sueño.

- Toma **comidas ligeras y nutritivas**.

- **Evita excesos.** No intentes abarcar demasiado, aunque es bueno mantenerse ocupado.

- **Habla de tu esposo/a desaparecido/a** con algún familiar o amigo. Esto ayuda a aceptar la realidad de la muerte.

- Ten **paciencia** durante el proceso de recuperación. Como si se tratase de una herida física, la aflicción por la muerte del cónyuge lleva su tiempo.

- Mantén responsabilidad sobre algo o alguien. Con frecuencia, las personas afligidas hallan refugio en cuidar plantas o animales. (Véase el cuadro de la página 180 sobre los animales de compañía).

La depresión por la pérdida del cónyuge

Una de cada diez personas que enviudan acaban sufriendo los síntomas completos de la depresión. El riesgo es considerablemente mayor en la mujer que en el hombre. Toda depresión conlleva un fuerte elemento de pérdida. La pérdida de la dignidad, la pérdida del empleo, o la pérdida de un ser querido son acontecimientos típicos que pueden precipitar los síntomas depresivos.

Los **síntomas** más notables de la depresión son: humor disfórico o depresivo (decaimiento de ánimo), pérdida de interés por lo habitualmente divertido y agradable, pérdida de peso, insomnio, agitación o retardación motriz, falta de energía, sentimientos de inferioridad, falta de concentración y decisión, pensamientos de muerte.

El proceso de aflicción a veces conlleva sentimientos de **enojo y frustración**. Para combatir estos sentimientos es necesario **desahogarse**. El *ejercicio físico* es una de las formas más eficaces para canalizar el enojo y la frustración. En la medida que lo permitan tus facultades, realiza trabajo físico. Consulta a tu médico para que te indique los límites. Hay personas que *gritan o escriben sus pensa-* *mientos* para echar fuera el enojo. Cualquiera que sea tu estilo, es bueno no guardar estos sentimientos para adentro.

Los animales de compañía, buenos colaboradores

Un perro, un gato, o un pájaro pueden ofrecer la lealtad y el afecto suficientes para hacer a una persona mayor más feliz, especialmente en momentos tristes. En estudios sobre salud física y mental, se ha demostrado que los animales de compañía previenen los efectos del estrés y mantienen la presión sanguínea a niveles deseables.

Las personas mayores con un animal en casa se ven en la buena obligación de levantarse por la mañana y atender las necesidades de paseo, alimentación, ejercicio, o atención de la mascota. Haciendo esto, están atendiendo también sus propias necesidades físicas y psicológicas.

La depresión puede curarse

La pérdida del ser querido conlleva casi siempre sentimientos de soledad, tristeza, o angustia. Esto no significa que exista una depresión clínica. Pero hay veces cuando la persona cae en una depresión clínica completa o depresión mayor, con varios síntomas enumerados en el texto, que perduran durante dos semanas o más. Se estima que la depresión ataca a uno de cada diez casos de viudedad. La depresión tiene buen pronóstico si se trata profesionalmente con fármacos y psicoterapia. Los consejos psicoterapéuticos de este cuadro son básicos para la *autoayuda en la depresión por pérdida del ser amado*.

- **Hablar con alguna persona de confianza.** Buscar algún amigo o familiar que te aprecie y te comprenda para charlar. Cavilar a solas ante la falta del ser querido no alejará los síntomas.

- **Mantenerse activo.** Pasear al aire libre, hacer recados o algún trabajo de bricolaje. Las actividades te ayudarán a mantenerte distraído mientras pasa el periodo de aflicción.

- **Alimentarse debidamente.** Aunque no tengas apetito, come en poca cantidad verdura, fruta fresca, cereales y legumbres. Es importante mantener el cuerpo nutrido.

- **No obsesionarse con el insomnio.** A medida que nos vamos haciendo mayores, disminuye la necesidad de sueño. Cuando no puedas dormir, no te irrites. Acomódate en un sofá y lee un buen libro o escucha la radio. Esto te ayudará a sentirte más relajado y finalmente conciliar el sueño.

- **Pensar en el lado bueno de las cosas.** Es difícil pensar positivamente en medio de los sentimientos depresivos, pero es posible. Reúnete con personas de buen humor y huye del pesimista.

- **Cuidar la autoestima.** Intenta no autoculparte y evita los pensamientos de inferioridad. Si has hecho algún mal a alguien, pídele perdón; y si eso no es posible, porque el ofendido no vive, pide perdón a Dios. Tu estado de ánimo se restaurará de manera sorprendente.

- **Adoptar una actitud esperanzada.** La esperanza es una necesidad humana. Sin ella, se cae fácilmente en la duda, el temor y la ansiedad, experiencias relacionadas con la depresión. Si crees en Dios, ora con fe y deposita tu confianza él. La oración es un gran factor de esperanza y bienestar.

En ocasiones, el desenlace viene a una pareja cuya relación era problemática y conflictiva. Esto puede dejar al cónyuge **superviviente con la sensación de no poder ya arreglar jamás esas dificultades**. En estos casos, es necesario *pensar con calma en lo que fue bueno* y en lo que fue malo de la relación, aceptar el pasado y caminar hacia el futuro con confianza y serenidad. No es bueno acusar al cónyuge o a uno mismo por lo que se hizo o dejó de hacer. Nadie es perfecto y la mayoría de las personas hacen lo mejor que pueden, dentro de su realidad personal y social.

La fe y la creencia religiosa constituyen un apoyo fundamental. Muchas personas con poco interés por lo religioso, se vuelven a las creencias sobrenaturales para hallar paz y sosiego en estos momentos de pena. La esperanza de resurrección al final de los tiempos es una verdad bíblica que mantiene al creyente sereno y *confiado en una vida mejor* más allá de la muerte y en *el reencuentro con los seres queridos*. La amargura y la congoja frente a la muerte del cónyuge son experiencias indeseables; sin embargo, pueden motivar a la persona a reafirmar su esperanza y fortalecer su fe.

¡Es posible volver a ser joven!

Un análisis puramente biológico de la vida y la muerte del ser humano es incompleto. Nacer, crecer y morir... ¿no hay algo más? Lo hay. La existencia humana, con sus logros y satisfacciones pero también sufrimientos e injusticias, necesita acabar en una suma total. Lo que ahora vemos tiene que ser, por necesidad, parte de una imagen mayor, de un plan global de existencia perdurable y eterna.

Para afrontar la muerte, todas las culturas de todos los lugares a lo largo de la existencia de la humanidad han recurrido a la esperanza de ultratumba. En la tradición judeocristiana el proceso que revelan las Escrituras es sencillo y, quizá por esto, rechazado por algunos:

1. Desde la intrusión del mal en el universo existe un **conflicto constante entre el bien y el mal**.

2. En su sabiduría infinita, Dios ha permitido el desarrollo del mal hasta su clara demostración de que ese camino es **erróneo**.

3. En su amor, Dios trazó un plan para **salvar** a la humanidad. Y salvarla significa liberarla de aquello que nos hace infelices: el dolor, la enfermedad, el deterioro, la muerte...

Aceptando el pasado y confiando en el futuro... ¡porque hay futuro!

En un estudio llevado a cabo por Koenig y sus colaboradores (Koenig, H. G.; George, L. K., y Siegler, I. C., 1988), con una muestra de hombres y mujeres de edades comprendidas entre 55 y 80 años, se les pidió que miraran retrospectivamente su vida e identificaran las peores experiencias. A continuación tenían que explicar cómo las habían afrontado. La respuesta más común fue: «*aferrándome a la religión*», a la que siguieron en importancia: «*manteniéndome ocupado*», «*acudiendo a mis familiares y amigos*», etcétera.

En otro estudio, también dirigido por Koenig (Koenig, H. G.; Kevale, J. N. & Ferrel, C., 1988), se verificó que los sujetos de mejor ánimo, y de actitud más positiva hacia el envejecimiento y la muerte, contaban con una o más de las siguientes **actividades religiosas**:

- Actividad **organizada** (participar en servicios religiosos).
- Actividad **informal** (orar a Dios y leer la Biblia en privado).
- Actividad **espiritual** (creer firmemente en doctrinas y principios).

Quienes contemplan su vida pasada con decepción e insatisfacción y se centran en los sucesos negativos de su vida, tienden a experimentar el mayor nivel de miedo e incertidumbre hacia la muerte. Mientras que aquellos que miran al pasado con un sentido de **aceptación** hacia lo que fue bueno y malo, y se recrean especialmente en los **eventos positivos**, contemplan la muerte con serenidad y confianza.

Recomendamos echar una mirada serena hacia la historia personal, contemplándola como **un don de Dios**, una experiencia única y maravillosa que va alcanzando su fin provisional pero que ahora nos permite ponernos en manos de Dios, quien nos dio la vida y ahora nos llama al descanso. De esta forma, podremos experimentar la **esperanza** en ese día cuando «los muertos en Cristo resucitarán para estar siempre con el Señor» (ver la Primera Epístola de Pablo a los Tesalonicenses, capítulo 4, versículos 16 y 17).

4. Ese plan de salvación verá su último resultado en el final de los tiempos, con la **resurrección** de los muertos de todos los tiempos y la creación de un mundo nuevo. En el último libro de la Biblia, Alguien que nuca miente ha prometido *«un cielo nuevo y una tierra nueva»*. En esa sociedad, *«ya no habrá muerte, ni llanto, ni lamento, ni dolor, porque todo lo que existía ha dejado de existir»*. Estas promesas las puedes encontrar en el último libro de la Biblia, el Apocalipsis. Allí se indica cómo Dios volverá a situar al planeta Tierra en la misma situación ideal con la que él la creó. Ya no habrá deterioro físico; todos volverán a la plenitud de fuerzas. En definitiva, ¡volveremos a ser jóvenes!

Por eso los creyentes pueden afrontar la muerte con **esperanza**. Porque Dios ha prometido darnos una nueva oportunidad para ser felices.

Sugerimos acudir a Dios cuanto antes. Muchos nunca se han ocupado de esa dimensión sobrenatural tan importante en el ser humano. Pero nunca es tarde. Dios te acepta tal cual eres. Con tus virtudes y defectos. Ahota te toca a ti: admite a Dios, háblale, exprésale tus dudas y también tus alegrías. Verás cómo nace en ti la esperanza y comprenderás que tú también puedes ser salvo y vivir eternamente... joven. Puedes llegar a comprobarlo.

Bibliografía

ADES, P. A., BALLOR, D. L., ASHIKAGA, T., UTTON, J. L., y NAIR, K. S., "Weight training improves walking endurance in healthy elderly persons." *Annals of Internal Medicine* 124:568-572, 1996.

ALPERN, D. M., "It scares the hell out of me." *Newsweek* 14 de marzo: 44, 1988.

AMERICAN COUNCIL ON SCIENCE AND HEALTH., "Premenstrual Syndrome". Summit (Nueva Jersey): ACSH, 1985.

BOHANNAN, P., "The six stations of divorce", en BOHANNAN, P., *Divorce and After*. Nueva York: Doubleday, 1970.

BORCHERDT, B., *You Can Control Your Feelings: 24 Guides to Emotional Self-control*. Sarasota (Florida): Professional Resource Press, 1993.

Bremner, W. J., Vitiello, M. V., y Prinz, P. N., "Loss of circadian rhythmicity in blood testosterone levels with aging in normal men". *Journal of Clinical Endocrinology and Metabolism* 56:1278-1281, 1983.

BUCHANAN, C. M., MACCOBY, E. E. y DORNBUSCH, S. M., *Adolescents After Divorce*. Cambridge (Massachusetts): Harvard University Press, 1996.

CROSBY, J. F., *Illusion and Disillusion: The Self in Love and Marriage*. Belmont (California): Wadsworth, 1991.

DEFRAIN, J., "Androgynous parents outline their needs". *Family Coordinator* abril: 237-243, 1979.

DIGIULIO, J. F., "Early widowhood: An atypical transition". *Journal of Mental Health Counseling* 14:97-109, 1992.

ERIKSON, E. H., *Childhood and Society*. Nueva York: Norton, 1950.

FIATARONE, M. A., MARKS, E. C., RYAN, N. D., MEREDITH, C. N., LIPSITZ, L. A. y EVANS, W. J., "High-intensity strength training in nonagenarians: Effects on skeletal muscles". *Journal of the American Medical Association* 263:3029-3034, 1990.

FIATARONE, M. A., O'NEILL, E. F. y RYAN, N. D., "Exercise training and nutritional supplementation for physical frailty in very elderly people". *New England Journal of Medicine* 330:1769-1775, 1994.

FISHER, L., *The American Association of Retired Persons (AARP)/Modern Maturity Study*. Washington D.C.: AARP, 1999.

FOWERS, B. J. y OLSON, D. H., "Predicting marital success with PREPARE: A predictive validity study". *Journal of Marital and Family Therapy* 12:403-413, 1986.

FRAGA, C. G., *ET AL.*, "Ascorbic acid protects against endogenous oxidative DNA damage in human sperm". *Proceedings of the National Academy of Sciences of the United States of America* 88:11003-11006, 1991.

GELLES, R. J., *Intimate Violence in Families*. Beverly Hills (California): Sage, 1997.

GOULD, R. L., "Adult life stages: Growth towards self-tolerance". *Psychology Today* agosto: 74-78, 1975.

GOULD, R.L., "Transformational tasks in adulthood", en POLLOCK, G. H. y GREENSPAN, S. I. (Eds.), *The Course of Life: Vol. 6 Late Adulthood*. Madison (Connecticut): International University Press, 1993.

GOULD, R. L., *Transformations: Growth and Change in Adult Life*. Nueva York: Simon & Schuster, 1979.

HARLEY, W. F., *His Needs, Her Needs*. Grand Rapids (Michigan): Revell, 1986.

HAYES, M. P., "Strengthening marriage in the middle years", en STINNET, N., CHESSER, B. y DEFRAIN, J. (Eds.), *Building Family Strengths: Blueprints For Action*. Lincoln (Nebraska): University of Nebraska Press, 1979.

KERCKHOFF, A. C. y DAVIS, K. E., "Value consensus and need complementarity in mate selection". *American Sociological Review* 27:295-303, 1962.

KILMANN, R. y THOMAS, K., "Interpersonal conflict: Handling behavior as reflections of Jungian personality dimensions". *Psychological Reports* 37:971-980, 1975.

KOENIG, H. G., GEORGE, L. K., y SIEGLER, I. C., "The use of religion and other emotion-regulating coping strategies among older adults". *The Gerontologist* 28(3):303-310,1988.

KOENIG, H. G., KEVALE, J. N., y FERREL, C., "Religion and well-being in later life". *The Gerontologist* 28(1):18-28,1988.

KRUTTSCHNITT, C., HEATH, L. y WARD, D. A., "Family violence, television viewing habits, and other adolescent experiences related to violent criminal behavior". *Criminology* 24(2):235-26,1986.

LARSEN, A. S. y OLSON, D. H., "Predicting marital satisfaction using PREPARE: A replication study". *Journal of Marital and Family Therapy* 15:311-322, 1989.

LESTER, R. y VAN THEIL, D. H., "Gonadal function in chronic alcoholic men". *Advances in Experimental Medicine and Biology* 85A:339-414, 1977.

MASTERS, W. H. y JOHNSON, V. E., *Human Sexual Response*. Boston (Massachusetts): Little Brown & Co., 1966.

McCARTNEY, N., HICKS, A. L., MARTIN, J. y WEBBER, C. E., "A longitudinal trial of weight training in the elderly: Continued improvements in year 2". *The Journals of Gerontology: Series A: Biological Sciences and Medical Sciences* 51:425-433, 1996.

McGOLDRICK, M. y PRETO, N. G., "Ethnic intermarriage: Implications for therapy". *Family Process* 23:347-367, 1984.

McLANAHAN, S. y SANDEFUR, G., *Growing Up With a Single Parent: What Hurts, What Helps*. Cambridge (Massachusetts): Harvard University Press, 1994.

MERRILL, S. S. y VERBRUGGE, L. M., "Health and disease in midlife", en WILLIS, S. y REID, J. D. (Eds.), *Life in the Middle: Psychological and Social Development in Middle Age*. San Diego: Academic Press, 1999.

MILLER, S. y MILLER, P. A., *Core Communications: Skills and Processes*. Littleton (Colorado): Interpersonal Communication Programs, 1991.

MOORE, K. A., "What a difference a dad makes". *Child Trends Report*. Washington DC: Child Trends, 1998.

MURSTEIN, B. I., "A classification and extension of the SVR theory of dyadic pairing". *Journal of Marriage and the Family* 42:777-792, 1987.

NATIONAL INSTITUTE ON AGING (NIA), *Senility: Myth or madness*. Washington, DC: U.S. Government Printing Office, 1980.

NATIONAL OPINION RESEARCH CENTER, *Survey on Sexual Behavior*. Storrs (Connecticut): Roper Center for Public Opinion Research, 1994.

OLSON, D. H. y DEFRAIN, J., *Marriage and the Family. Diversity and Strengths*. Mountain View (California): Mayfield Publishing Company, 2000.

OLSON, D. H., FYE, S. y OLSON A., *National Survey of Happy and Unhappy Married Couples*. Minneapolis (Minnesota): Life Innovations, 1999.

ORBUCH, T. L. *ET AL*., "Marital quality through the life course". *Social Psychology Quarterly* 59(2):162-171, 1996.

PARROTT, L. y PARROTT, L., *Saving Your Marriage Before it Starts*. Grand Rapids (Michigan): Zondervan Publishing House, 1996.

POWELL, J., *The Secret of Staying in Love*. Valencia (California): 1974.

RISMAN, B.J. y JOHNSON-SUMERFORD, D., "Doing it fairly: A study of postgender marriages". *Journal of Marriage and the Family* 60:23-40, 1998.

SCHWARTZ, P., *Love Between Equals: How Peer Marriage Really Works*. Nueva York: Free Press, 1995.

STEINMETZ, S. K., "Family violence", en SUSSMAN, M. B. y STEINMETZ, S. K. (Eds.), *Handbook of Marriage and the Family*. Nueva York: Plenum, 1987.

STINNETT, N., STINNETT, N., DEFRAIN, J. y DEFRAIN, N., *New Families*. Nueva York: Doubleday, 1997.

VAN PELT, N. L., *Highly Effective Marriage*. Hagerstown (Maryland): Review and Herald Publishing Association, 2000.

WALLERSTEIN, J. S. y BLAKESLEE, S., *Second Chances: Men, Women, and Children a Decade After Divorce*. Nueva York: Ticknor & Fields, 1996.

WALLHAGEN, M.I., *ET AL*., "An increasing prevalence of hearing impairment and associated risk factors over three decades of the Alameda County Study". *American Journal of Public Health* 87(3):440-442, 1997.

WHISMAN, M. A., DIXON, A. E. y JOHNSON, B., "Therapists' perspectives of couple problems and treatment issues in couple therapy". *Journal of Family Psychology* 11(3):361-366, 1998.

WOODWARD, J. C., *The Solitude of Loneliness*. Lexington (Massachusetts): Lexington Books/Heath, 1988.

WURTMAN, R. J. y WURTMAN, J. J., "Carbohydrates and depression". *Scientific American* 260 (1):68-75.

ÍNDICE ALFABÉTICO

PROCEDENCIA DE LAS ILUSTRACIONES

Todas las **fotografías, cuadros, gráficos y dibujos** que no figuran en esta relación han sido realizados por el EQUIPO EDITORIAL DE EDITORIAL SAFELIZ, tal y como figura en la página 4.

Corbis Corporation: páginas 16, 19, 34, 114, 162

Corel: páginas 23, 133

Digital Vision: páginas 75, 95, 117, 147, 154, 155

Dynamic Graphics: páginas 17, 18, 20, 22, 25, 26, 28-31, 33, 35, 37-44, 46, 48-51, 53-55, 57, 62-74, 80, 86, 88, 89, 91, 93, 96-99, 102, 104, 106-109, 113-116, 118, 119, 121, 125, 126, 128, 130, 132-135, 137, 140, 141, 143-146, 147-152, 156, 158, 160, 161, 163, 164, 166, 167-176, 179-182

Ingram Publishing: página 127

John Foxx Images: páginas 14, 108, 110, 113, 129, 134, 136, 139

Photo Alto: página 13, 25, 59, 76, 78, 82, 94, 96, 97, 122, 124

Photodisc: páginas 111, 140, 151

Rubberball Productions: página 114

Stockbyte: páginas 10, 12, 15, 24, 34, 36, 45, 47, 52, 56, 60, 61, 79, 81, 83-85, 87, 90, 92, 94, 96, 100, 101, 111, 112, 131, 135, 137, 142, 153, 159, 162, 164, 165, 169-171, 173, 178, 183

William C. Andress: página 177

ESTILO DE VIDA

Forman parte de esta colección los títulos siguientes:

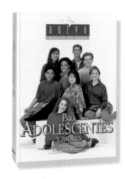

Traducidos a múltiples idiomas, están pensados para favorecer
el **estilo de vida** que demanda el siglo XXI.

Solicita hoy mismo información a:
EDITORIAL SAFELIZ
Pradillo, 6 · Pol. Ind. La Mina · E-28770 · Colmenar Viejo · Madrid (España)
Tel.: [+34] 91 845 98 77 · Fax: [+34] 91 845 98 65
admin@safeliz.com · www.safeliz.com